Le Nez de Jupiter

Données de catalogage avant publication (Canada)
Scrimger, Richard
Le Nez de Jupiter
(Gulliver jeunesse ; 104)
ISBN 2-7644-0130-2
I. Titre. II. Collection.

PS8555.H364A86 2001 jC843'.54 C2001-941127-8
PS9555.H364A86 2001
PZ23.C42ap 2001

Nous reconnaissons l'aide financière du gouvernement du Canada par l'entremise du Programme d'aide au développement de l'industrie de l'édition (PADIÉ) pour nos activités d'édition.

Gouvernement du Québec – Programme de crédit d'impôt pour l'édition de livres – Gestion SODEC.

Les Éditions Québec Amérique bénéficient du programme de subvention globale du Conseil des Arts du Canada. Elles tiennent également à remercier la SODEC pour son appui financier.

Titre original : *The Nose from Jupiter*, Richard Scrimger © 1998, publié chez Livres Tundra, Toronto, Canada.

Québec Amérique
329, rue de la Commune Ouest, 3e étage
Montréal (Québec) H2Y 2E1
Téléphone : (514) 499-3000, télécopieur : (514) 499-3010

Dépôt légal : 1er trimestre 2002
Bibliothèque nationale du Québec
Bibliothèque nationale du Canada

Révision linguistique : Michèle Marineau
Montage : PAGEXPRESS
Réimpression mars 2003

www.quebec-amerique.com

Le Nez de Jupiter

roman

RICHARD SCRIMGER

Texte français de
Marie-Andrée Clermont

QUÉBEC AMÉRIQUE Jeunesse

À Nerissa

Remerciements

J'aimerais remercier Claire Mackay, la première à m'avoir permis d'écrire sur ce personnage qui me harcelait depuis des années – l'ai-je déjà dit ?

Merci aussi à Kathy Lowinger de m'avoir fait confiance.

— Joignez-vous donc à nous, me dit-elle avant même que l'on nous ait formellement présentés l'un à l'autre. Écrivez un livre ou deux.

Puis, avant que j'aie eu la chance de défendre mon premier jet, la voilà qui ajoutait :

— Super ! Maintenant, changez donc ceci et cela.

Mes remerciements également à mon groupe de soutien : mes enfants, mes parents, mon agent, ma réviseure. Sans vous, qui sait ?, ce livre ne serait peut-être pas *nez*…

Chapitre 1

Mais qu'est-ce que je fais ici?

Ne détestez-vous pas vous retrouver dans une chambre où tout le monde est habillé, sauf vous ? La docteure porte une robe recouverte d'un sarrau, et l'infirmière, un de ces uniformes verts d'hôpital. Maman étrenne son tailleur en tweed – un peu fripé après une journée au boulot et la moitié de la nuit à mon chevet, mais un tailleur, tout de même. Et moi ? Un caleçon et rien d'autre. Au début, j'avais aussi une jaquette d'hôpital (attachée du mauvais côté), mais on me l'a fait enlever. De sorte que, pour l'instant, je ne porte rien d'autre qu'un caleçon et un sourire. Non, j'oubliais : j'ai aussi un pansement... qui ne me m'aide guère à me sentir plus pudique, étant donné qu'il m'entoure la tête.

La docteure me dit son nom, que j'oublie aussitôt. C'est la première fois qu'elle m'examine. L'infirmière, par contre, je l'ai vue, plus tôt ; elle s'appelle Angela. Elle est gentille. La doc me sourit, me tâte ici et là pendant un moment et me permet de renfiler ma jaquette. Voilà qui est un peu mieux.

— C'est donc toi, le gars qui parle tout seul, dit-elle en sortant le laser de sa poche.

Bon, d'accord, ce n'est pas vraiment un laser, mais ça y ressemble et ça fait le même effet. Les autres docteurs aussi en avaient.

— Angela m'a parlé de toi.

Je ne dis rien. Elle me relève la tête et me braque la lumière dans l'œil. Ayoye ! Comme un laser !

— Comment t'appelles-tu ? me demande-t-elle.

Les médecins doivent fréquenter l'école longtemps, et tout le monde sait à quel point ils sont intelligents. Eux le savent, en tout cas. Mais ils s'imaginent sans doute que le reste du monde est vraiment épais pour poser des questions aussi bêtement évidentes. J'ai vu plein de médecins depuis que je me suis réveillé, et tous, sans exception, m'ont demandé mon nom. Certains plus d'une fois. Et pas parce qu'il est difficile à retenir.

— Alan, dis-je. Alan Dingwall.

Puis j'ajoute :

— J'ai encore treize ans.

— *Encore* ?

— Tout le monde passe son temps à me demander mon âge. Eh bien, j'ai le même âge qu'il y a quelques heures. Je suis encore en septième année. Je vis encore à Cobourg. Mon anniversaire est encore le 16 octobre. (La doc rigole.) Et j'ai encore mal à la tête.

— Oh ! mon pauvre chou !

Je ne la vois pas, mais ça, c'est ma mère. N'était-ce pas la reine anglaise Marie Tudor qui affirmait avoir le mot « Calais » gravé dans le cœur ? Ma mère, elle, c'est « Oh ! mon pauvre chou ! » qu'elle porte dans le sien.

— Nous voulons savoir ce dont tu te souviens, Alan, explique la doc. C'est pour ça qu'on te rabâche toujours les mêmes questions. Tu es demeuré inconscient pendant près de cinq heures, ce qui est très long. On a procédé à un grand nombre de tests, mais certains n'étaient pas concluants.

— Vous croyez que j'ai du mal à me rappeler mon propre nom ? Ou l'endroit où j'habite ?

La doc me relève le menton pour examiner l'intérieur de mon nez. Le docteur avant elle avait fait la même chose. Qu'est-ce qu'ils s'imaginent trouver là-dedans ? Puis elle revient à mes yeux.

— De quoi te souviens-tu, au juste, Alan ? me demande-t-elle. Te rappelles-tu l'accident ?

— J'ai essayé. Je revois la pluie et la boue. Et la rivière qui courait, haute et rapide. Et Norbert qui courait, lui aussi. J'avais le rhume… (J'essaie d'inspirer.) Je suis encore tout enchifrené. Un peu plus qu'avant, même.

— Norbert, c'est un ami à toi ?

— Heu... ouais, en quelque sorte.

— Et après ?

— Je ne sais pas.

— Peux-tu me parler aussi de ton autre amie ? demande la doc. La jeune fille qui n'est pas très grande et qui a les cheveux foncés ?

— Miranda ? Qu'est-ce que vous voulez savoir à son sujet ?

— Elle est mentionnée dans le rapport que nous a acheminé l'hôpital de Cobourg. C'est elle qui t'a tiré de la rivière et qui a appelé l'ambulance. Tu ne t'en souviens pas ?

Je fais non de la tête. Ayoye ! C'est drôle que je ne me souvienne pas de Miranda. Pas drôle *comique,* drôle *bizarre,* plutôt. Nous n'avons pas coutume de revenir de l'école ensemble. Moi, je rentre à pied, et Miranda prend l'autobus. Normalement, je me souviendrais qu'elle ait été avec moi. Et cet après-midi, c'est impossible que nous ayons été ensemble, je le sais, même si je ne me rappelle pas pourquoi j'en suis aussi certain.

Sapristi ! À croire qu'il y a un trou dans ma mémoire et que tout ce qui concerne l'accident y est tombé – Miranda, la rivière, la chienne colley, tout. J'espère pouvoir récupérer mes souvenirs au grand complet.

Minute ! Miranda n'a-t-elle pas les cheveux brun clair ?

— Si je pouvais seulement me rappeler davantage ! dis-je.

— Ce n'est pas grave. Tu es chanceux d'habiter Cobourg, Alan. J'y suis allée une ou deux fois. C'est tellement joli, cet endroit, tout au bord du lac. Regarde à gauche. À droite, maintenant. Ne tourne pas la tête. Juste les yeux.

Je suis content de garder la tête immobile. Elle fait mal quand je la bouge. Je soupire :

— Je me demande si je me rappellerai jamais ce qui s'est passé.

— Probablement. Ne t'en fais pas avec ça. Portes-tu toujours des caleçons verts ? demande-t-elle à brûle-pourpoint.

— Quoi ?

— Tes sous-vêtements ? Tu les aimes verts ?

— Je... non, pas vraiment.

— Bien. Moi non plus. Et à propos, juste pour satisfaire ma curiosité, ce caleçon est-il propre, ou le portais-tu hier, également ?

— Hé ! dites donc !

— J'essaie seulement de trouver de nouvelles questions. Histoire de ne pas ennuyer mes patients.

Là, elle me braque la lumière dans l'autre œil. Je ne peux pas affirmer qu'elle sourit, mais le ton de sa voix le laisse supposer.

— Vous ne m'ennuyez pas.

— Tant mieux. Ne fixe pas la lumière. Regarde à gauche encore une fois. Maintenant, tiens, que dirais-tu d'une petite colle :

quelle est la racine cubique de quatre cent quatre-vingt-neuf ?

Je cligne des yeux.

— Je ne sais pas.

La docteure éteint la lampe. Je constate qu'elle sourit, effectivement.

— Bien, dit-elle. Je n'en sais rien moi non plus. Ça m'inquiéterait si tu le savais.

Sur ces entrefaites, la porte s'ouvre et mon père entre.

— Est-ce la bonne chambre ? s'enquiert-il.

Il se déplace rapidement, l'air inquiet et important, jusqu'à ce qu'il m'aperçoive. Là, il s'arrête, comme si on l'avait frappé durement en pleine poitrine. Il fait alors un petit pas lent, prudent, en direction de mon lit. Puis un autre.

— Tu es réveillé ! remarque-t-il, et je souris faiblement. Je te pensais inconscient. Désolé d'avoir mis autant de temps à venir. Mon avion n'a atterri à Toronto qu'à minuit, et le taxi a eu une panne en me conduisant à l'hôpital.

Apercevant alors ma mère, il s'adresse à elle :

— Tu m'avais dit qu'il était dans le coma.

Maman est à la fenêtre et regarde dehors. Je ne sais pas ce qu'elle s'attend à y voir à cette heure de la nuit. Mon père a reculé dans l'embrasure de la porte. Chaque fois qu'ils se retrouvent ensemble, ce qui n'arrive guère souvent, mes parents semblent dériver vers les coins opposés de la pièce. À croire qu'ils sont deux pôles semblables d'un aimant. Les pôles semblables se repoussent l'un l'autre, n'est-ce pas ? Après le divorce, mon père a été transféré loin de Cobourg par la compagnie pour laquelle il travaille – d'abord à Chicago, puis à Minneapolis. Il vit maintenant à Vancouver. Il a dérivé jusqu'à l'autre bout du continent. Encore deux ans et je devrai probablement m'envoler chaque été vers la Thaïlande pour le voir.

La docteure s'approche de mon père et se présente. Encore une fois, son nom m'échappe.

— Félicitations, monsieur Dingwall, dit-elle. Votre fils va se rétablir. Il est tombé dans ce qu'on appelle un coma léger, mais il en est sorti un peu plus tôt, au cours de la soirée.

— C'est formidable, commente mon père.

L'infirmière Angela me tient la main. Comme je le disais, elle est gentille. Je demande :

— Est-ce que je peux dormir, maintenant ?

Depuis que je me suis réveillé que j'essaie de dormir – oupse ! ça sonne tout croche, n'est-ce pas ? Mais voilà : je suis sorti du coma un peu après l'heure du souper et, depuis, je n'en finis pas de bâiller. Et ils ne me laissent pas dormir plus d'une heure à la fois.

— Veux-tu quelque chose à boire, auparavant ? demande l'infirmière. Du ginger ale ? Du jus ?

— Oh oui ! s'il vous plaît. J'ai soif. Et sommeil. Et mal à la tête.

Cela vaut mieux que d'être dans le coma.

Mon père insiste pour demeurer avec moi. Est-ce vraiment ce qu'il veut, ou essaie-t-il seulement de faire fâcher maman, qui souhaite veiller à mon chevet, elle aussi ?

— Tu as un air épouvantable, Helen, lui dit-il. Pourquoi ne pas aller te reposer à la maison ? Je vais rester ici avec Alan.

Sourires de l'infirmière et de la docteure, comme si nous étions une famille de téléroman, pleins de sollicitude les uns pour les autres. Ne manquent que le chien et la petite sœur insupportable. Et un voisin dingue qui vient faire son tour durant chaque épisode.

— Tu n'es pas très beau à voir, toi non plus, rétorque ma mère.

— Je ne peux pas être pire que toi. Tes cheveux sont un désastre.

— Les tiens aussi. Sans parler de cette tache dégueulasse sur ta chemise. Tu as échappé de la sauce ou je ne sais quoi.

— Ouais, bon, j'étais pressé…

— Et, malgré tout, tu es arrivé en retard.

— En retard pour quoi ? Pour voir mon fils dans le coma ? De toute façon, je ne peux pas changer l'horaire des compagnies aériennes. Je suis venu aussi vite que j'ai pu.

Scène de famille. Et pas la première dont je suis témoin ! Ça m'a tout l'air que nous devrons retirer l'émission *Les Dingwall* de la programmation au milieu de la saison. Ah ! les parents ! On s'en passerait bien ! La doc et l'infirmière louvoient vers la porte, et je voudrais bien pouvoir sortir, moi aussi !

— Écoute ! J'ai parcouru cinq mille kilomètres pour venir voir mon fils et, là, j'aimerais passer un peu de temps avec lui. Est-ce trop demander ?

Mon père parle d'un ton raisonnable, avec sa voix d'homme d'affaires. Il occupe un poste en relations humaines, et ma mère est travailleuse sociale ; elle aide les jeunes en difficulté. Ironique, non ? Comme dans le vieil adage qui veut que les enfants du cordonnier soient mal chaussés, que ceux du boulanger se promènent le ventre creux et que ceux du fabricant de chandelles vivent dans l'obscurité. De nos jours, ce sont les contrôleurs qui ont des enfants difficiles à contrôler, les coordonnateurs dont les rejetons manquent de coordination et les directeurs dont la progéniture aurait besoin d'être dirigée.

— Si on demandait à Alan ? suggère maman.

— C'est ça, demandons à Alan s'il veut passer quelques minutes avec son paternel, qui a survolé tout le continent pour être avec lui. Voyons voir si un garçon de douze ans a plus de jugeote que sa mère qui en a trente-neuf.

— Il a treize ans. Ne sais-tu même pas l'âge de ton fils ?

— Bon, ça doit vouloir dire que tu en as quarante, alors ? À moins que tu n'aies encore sauté un anniversaire. Si ma mémoire est bonne, tu as eu vingt-neuf ans trois années de suite.

— J'attendais que tu m'achètes un cadeau de fête. Ça t'a pris trois ans pour y penser.

Mais je me suis déjà renfoncé dans mes oreillers, les yeux bien fermés. Peut-être me foutront-ils la paix si je fais semblant de dormir.

Penché sur moi, le visage tout à l'envers, mon père me réveille en essayant de le faire en douceur. On est plus tard, je le devine. Il n'y a personne d'autre dans la chambre.

— Alan..., dit-il en me secouant l'épaule, l'air de souffrir autant que moi. Alan...

— Quelle heure est-il ?

— Un peu passé quatre heures. Je ne voulais pas t'éveiller, mais ils ont insisté, dit-il en ayant l'air de s'en excuser. Ils sont encore un peu inquiets à ton sujet. (Je ne dis rien.) Non, ne referme pas les yeux. Tu n'es pas censé te rendormir tout de suite. Assieds-toi, on va jaser quelques minutes.

Il m'aide à me redresser sur les oreillers. La tête me fait mal. Je demande où est maman.

— Elle est retournée à la maison. Elle va revenir au matin.

Cobourg n'est pas si loin de Toronto. À environ une heure de voiture ou de train... et à seulement quinze minutes si on voyage en hélicoptère, comme je l'ai fait hier entre l'hôpital de Cobourg et l'Hôpital pour enfants de Toronto. Une randonnée vraiment super, sans doute. Dommage que j'aie été inconscient !

Papa se dirige vers la fenêtre et regarde la nuit, au dehors, tout comme maman l'a fait pendant la soirée. Ma chambre doit offrir une vue extraordinaire. Il faudra que j'aille y jeter un coup d'œil quand je pourrai me tenir debout.

— Alan, je veux te dire... Excuse-moi pour cette scène avec ta mère quand je suis arrivé dans la chambre. Elle et moi, c'est seulement qu'on...

— Ouais.

— Je n'arrive pas à comprendre pourquoi, ajoute-t-il, mais aussitôt qu'on se retrouve ensemble tous les deux, on agit comme...

— Comme des petites pestes gâtées pourries, dis-je, tout ensommeillé.

Papa se tourne vers moi et part à rire.

— Ouais, c'est à peu près ça.

Le voilà qui devient cramoisi. De ce côté-là, papa et moi, nous nous ressemblons : nous avons tous deux le teint très pâle et la tignasse rousse et, quand nous rougissons, c'est aussi subit et spectaculaire qu'un coucher de soleil sous les tropiques.

— Je vais me chercher une tasse de café, dit-il. Tu veux que je te rapporte un jus ou autre chose en même temps ?

— D'accord, dis-je en me renfonçant dans mes oreillers.

— Ne te rendors pas. Tu es censé rester éveillé cinq minutes toutes les heures, me recommande-t-il avant de sortir.

Il y a un lit de l'autre côté de la chambre, mais il est vide. Je suis tout seul. Je tends l'oreille, à l'affût des infirmières ou des médecins qui pourraient passer, ou alors des employés d'entretien qui promènent les chariots dans les corridors – ces chariots qui, sûrement par un décret de l'hôpital, ont toujours une roue qui grince. Mais rien, pas un bruit. Silence. Je bâille de plus belle.

J'imagine mon père dans son bureau de Vancouver, dérangé par ce coup de téléphone intempestif, dramatique, qui lui apprend que son fils est dans le coma, à l'hôpital. Il quitte le bureau précipitamment. Il s'inquiète, parce que son fils compte beaucoup pour lui. Parce qu'il aime son fils. N'est-ce pas ? Enfin, il l'aime, pas vrai ?

Je soupire. C'est alors que s'élève une petite voix suraiguë que je connais bien :

— *Eh bien, Alan, faut croire qu'on en est rendus là,* dit Norbert.

Chapitre 2

Un nez un peu spécial

— Salut, toi, dis-je. Ça fait un moment que je n'ai eu de tes nouvelles.

— *J'étais occupé.*

— J'ai pensé que tu étais dans le coma, toi aussi. Tu savais que j'étais dans le coma ?

— *Non, c'est vrai ? Moi, j'étais dans le garage.*

— Dis-moi, qu'est-ce qui s'est passé, au juste ? Comment ai-je été mis K.-O. ?

— *Comment veux-tu que je le sache ? Je ne suis pas médecin.*

— Tu étais là, pas vrai ?

Autant vous expliquer : mon nez s'appelle Norbert. Non, ce n'est pas exact. Norbert vit dans mon nez. Il vient de Jupiter, mais ça fait un petit moment qu'il habite avec moi.

Je sais ce que vous devez penser – des fois, je me trouve cinglé moi aussi. « Pauvre Alan, pas surprenant que le docteur passe son temps à lui demander son âge. » Sauf que... d'autres personnes l'entendent, également. L'infirmière, Angela, est entrée dans la chambre, ce soir, et m'a demandé à qui je parlais. Elle avait une expression vraiment curieuse sur le visage.

— Ta mère est au bout du couloir, au poste des infirmières, me dit-elle. Il n'y a personne d'autre dans la chambre, n'est-ce pas ?

— Personne.

— J'étais de l'autre côté de la porte et j'ai entendu une drôle de voix, très aiguë. Est-ce que tu te parlais tout seul, Alan ? Ça ne sonnait pas du tout comme toi. (Je souris.) Est-ce que tu te sens bien ?

Norbert a débarqué chez moi par un bel après-midi de septembre, tandis que je tondais le gazon. Un hôte inattendu, un survenant. Il a défait ses bagages et, depuis, il demeure avec moi. *« C'est un grand logement, ton nez,* déclara-t-il en s'installant. *Il y a une chambre, à l'arrière, une cuisine, une salle de bains et un garage. »* J'ai encore du mal à comprendre ça. Pourtant, mon nez se retrousse comme avant, et, quand je me mouche, la matière sur le Kleenex me paraît normale.

— Qu'est-ce qu'il y a dans le garage ? demandai-je à Norbert.

— *Un vaisseau spatial, tiens ! Comment penses-tu que j'aurais atterri ici, autrement ?*

Mon père revient, accompagné d'une infirmière. Il rapporte un café pour lui et une canette de ginger ale pour moi. L'infirmière prend mon pouls et ma température, puis elle s'en va. Mon père se met à cogner des clous dans sa chaise après avoir bu la moitié de sa tasse de café. C'est tranquille dans la chambre. Je demande à Norbert à quoi il s'occupait dans le garage.

— *J'ai presque terminé,* dit-il.

Presque terminé quoi ? Est-ce que tout va bien là-dedans ? Il est terriblement tranquille depuis que je suis sorti du coma. C'est tout juste si j'ai été capable de lui soutirer un mot.

Je fouille ma mémoire, ce qui me donne mal à la tête.

La chasse aux souvenirs. Un des docteurs m'a conseillé de ne pas m'inquiéter ; selon lui, il suffirait que je me détende et que je sois patient pour que ma mémoire courte revienne. Mais ça me tarabuste de n'avoir aucune souvenance de ce qui m'est arrivé au bord de la rivière.

— Comment suis-je tombé, Norbert ?

Pas de réponse.

— Miranda était-elle avec moi ? C'est ça qui explique qu'elle ait été sur place pour me sauver ?

Pas de réponse. Je suis fatigué. Je m'endors.

Quand l'infirmière me réveille, c'est le matin. Les thermomètres et les tensiomètres sont à l'œuvre ainsi que les roues grinçantes de tous les chariots. L'infirmière change mon pansement, prend ma température et ma tension, puis elle me demande si j'ai envie d'un petit déjeuner. Oui, volontiers. Je n'ai rien eu à manger depuis hier, à part ce sac de truc transparent qui me coule dans le bras et qui ne goûte pas grand-chose, croyez-moi.

Mon père se réveille en sursaut. En me voyant, il s'étire et me sourit, mais son sourire s'efface à l'entrée de ma mère. Maman a l'air d'avoir dormi sur une chaise, elle aussi, mais elle s'est changée et maquillée. Mes parents ne s'adressent pas la parole.

— As-tu besoin d'aide pour aller aux toilettes ? me demande l'infirmière.

Franchement, elle me traite comme un bébé ! Mais quand je me redresse dans mon lit – je ne parle pas de me mettre debout, là, seulement de m'asseoir pour la première fois depuis un bon moment –, j'ai les yeux qui nagent et la tête qui décide de faire un salto compliqué de patinage artistique – un triple truc-machin –, et je retombe sur l'oreiller.

— Oh ! mon pauvre chou ! s'écrie ma mère.

Oui, je veux bien qu'on m'aide à aller aux toilettes. Et, savez-vous, ça ne me gêne même pas, du moins jusqu'à ce que l'infirmière examine le contenu du bassin en forme de haricot et me dise « Bravo ! » : là, je vire au rouge betterave et j'essaie de disparaître sous la couverture.

La doc paraît contente de moi.

— Tu sais, Alan, je pense vraiment que tu n'as rien du tout. Si ce n'était de ton IRM, je te signerais ton congé tout de suite.

— IRM ? relève mon père.

— Tu ne sais donc pas ce qu'est une IRM ? dit ma mère.

Ça, je me rappelle. Aussitôt que j'ai été sorti du coma, hier, on m'a fait passer une IRM*. Plutôt apeurant. Ils vous attachent solidement sur une civière et vous glissent dans un long tuyau d'égout qui photographie ce qu'ils appellent les « tissus mous » – autrement dit, les trucs qui n'apparaissent pas sur les radiographies. « Tissus mous », ça me fait penser au derrière de mon ami Victor. Ou à sa tête. Bon, ils se sont surtout attardés autour de ma tête et de mon cou, pour vérifier le fonctionnement de mon cerveau. Je leur ai demandé si ça tournait toujours, là-dedans, mais ils n'ont pas répondu.

La doc explique tout ça à mon père, qui s'informe :

— Quel est le problème avec l'IRM d'Alan ?

La doc étale la radio devant la grosse lampe à côté de mon lit.

---

* IMR : Imagerie par résonance magnétique.

— Voyez, indique-t-elle, juste ici.

Je tourne la tête. Le front plissé, mon père demande :

— Qu'est-ce que c'est ?

Bonne question. On dirait une carte météo produite par satellite.

— Ce que vous voyez là, c'est le nasopharynx d'Alan, ainsi que ses fosses nasales, explique la doc. La région derrière son nez.

— Et il y a un problème dans cette région-là ?

— Disons plutôt... quelque chose d'insolite, précise la doc.

Je sens que je vais éternuer.

— Quelque chose de massif et de forme bizarre doit avoir obstrué l'objectif du scanner, enchaîne la doc. Voyez, à deux endroits différents, on retrouve ces... projections, appelons-les comme ça. La technicienne affirme n'avoir jamais rien vu de pareil.

— Qu'est-ce que ça pourrait bien être ? demande ma mère.

— Eh bien, je ne suis pas une experte en ce domaine. C'est sans doute un défaut de la machine. Mais ça ressemble presque à...

— À quoi ? demande mon père, inquiet.

— Eh bien, à un vaisseau spatial. Là, voyez-vous ?

La docteure rit. Et mes parents font de même, tous les deux. Moi, j'éternue. La doc veut me garder sous observation encore quelques heures. Si mon état continue de s'améliorer, je pourrai rentrer chez moi cet après-midi.

— Et son nez ? s'informe maman.

— Je ne trouve pas le moindre problème avec son nez. Alan n'a ni fièvre ni infection. Il présente les symptômes normaux d'un patient qui se remet des suites d'une commotion. Je n'ai certainement pas envie de procéder à une intervention exploratoire d'urgence sur quelqu'un qui se rétablit de façon satisfaisante.

— Une intervention ? dis-je. Sur Nor..., je veux dire sur mon nez ?

Norbert ne glapit même pas. Peut-être a-t-il perdu connaissance.

La doc s'approche de moi, me prend la main et me rassure :

— Non. Pas d'intervention. Je veux que tu te détendes pendant quelques heures encore. Tu peux jaser avec tes parents, regarder la télé, marcher un peu, peut-être. Et, si le cœur t'en dit, essaie de te rappeler ce qui s'est passé hier.

— J'ai essayé. Je ne me souviens même pas d'avoir marché de l'école à la maison. Pas vraiment.

— Oh ! mon pauvre chou ! fait ma mère en me tapotant la main.

La doc contourne mon lit :

— Aimes-tu les casse-tête, Alan ? demande-t-elle, une fois de l'autre côté.

Je hausse les épaules. Pas vraiment. On en faisait, avec maman, dans le temps. Il y a des gens, dont maman, qui ont un flair incroyable pour placer les morceaux, tandis que moi, je m'évertue plutôt à insérer des morceaux de ciel dans les plates-bandes, les moulins à vent ou les douves de châteaux. Et puis, de toute façon, c'est quoi, l'idée d'un casse-tête ? Qu'est-ce qu'on en fait, une fois qu'on l'a fini ? Est-ce qu'on l'admire comme une peinture ? Est-ce qu'on joue avec ? Est-ce qu'on s'en sert ? Pas du tout ! Quand on a fini, on le redéfait en morceaux.

— Eh bien, en ce moment, la journée d'hier est comme un casse-tête dans lequel il reste des trous, explique la doc. Quelques morceaux manquants. D'accord ?

J'opine d'un signe de tête.

— Alors, considère la journée d'hier comme un casse-tête à faire. Commence par ce que tu te rappelles. Remplis d'abord les côtés, puis, petit à petit, rapproche-toi du centre. Divise ta mémoire en sections de puzzle et assemble-les, une par une. Il se pourrait que tu te retrouves bientôt avec une image reconnaissable.

— Et si je n'y arrive pas ? dis-je. Supposons que j'y travaille sérieusement et que je ne réussisse pas à mettre les morceaux ensemble ? Et si certaines pièces d'hier étaient perdues ?

Je dois avoir l'air affolé parce qu'elle m'adresse un sourire rassurant.

— Ce ne serait pas grave. Ne t'en fais pas avec ça. Tous les morceaux te reviendront sans doute plus tard, quand bon leur semblera.

Ouais, probablement. Je demande :

— Par où voulez-vous que je commence... par hier matin ?

— Par où tu voudras, répond la doc.

Un chariot rempli de plateaux en plastique entre en grinçant, poussé par un garçon de salle.

— Petit déjeuner pour Dingman, annonce celui-ci.

Je corrige mon nom. Il hausse les épaules. Il est coiffé d'un bonnet de douche informe pour éviter de contaminer la nourriture et la boisson qu'il m'apporte... pardon, la boisson, seulement. Mon petit déjeuner consiste en un lait frappé jaune et dégueulasse. La doc le lorgne en grimaçant.

— Ça m'a l'air épouvantable, dit-elle. Et ça doit avoir un goût encore plus horrible. Jeune homme, dit-elle au garçon de salle, est-il possible de dénicher un goûter pour ce patient ? Et, pour le dîner, il aimerait de la vraie nourriture. Pas vrai, Alan ?

J'approuve, mais le gars au bonnet de douche paraît bien embêté.

— Mais, docteure, je viens juste de remettre mes fiches pour le dîner.

— Eh bien, il va falloir les modifier, lui dit-elle.

— Vous voulez que je passe toutes les fiches en revue juste pour changer le dîner de Dingman ?

— C'est exact.

Le garçon de salle pousse un gros soupir.

— Dingwall, corrige mon père. Pas Dingman.

Le type soupire de plus belle.

— Oh ! mon pauvre chou ! dit ma mère.

Une heure plus tard, mes parents ronflent. On est venu chercher le plateau – vide – dans lequel on m'a servi mon petit déjeuner, et je suis allé aux toilettes, alors moi aussi je suis vide. J'y suis allé tout seul, ce qui s'est avéré pas mal plus difficile que je ne m'y attendais. Tout croche, si vous me suivez. En tout cas, je vais bien, maintenant – une légère amélioration par rapport à hier soir. Je repense à la suggestion de la doc. Il faudrait retrouver mes souvenirs, mais par où est-ce que je pourrais bien commencer ?

Je suis capable de me rappeler Miranda qui me sourit. Ça, c'est facile. Et le match de soccer. Et l'Assemblée générale des élèves. Et la bataille qui a suivi, dans les toilettes. Après ça, les images commencent à s'estomper. Je marmonne pour moi-même : « Je revenais chez moi par la rue King. C'était un après-midi grisâtre. Hier ? Était-ce seulement hier ? Victor avait peur de rentrer avec moi, de sorte que j'étais tout seul. »

— *Je pense que tu devrais commencer au jour de mon arrivée.*

— Tiens, salut, Norbert. Je te croyais endormi. Tu écoutais ?

— *Tu te souviens de ce jour-là ? Dans le jardin derrière chez toi ?*

— Comment pourrais-je l'oublier ? Mais ça fait des semaines. Je ne vais pas reculer aussi loin.

— *Pourquoi pas ? J'ai changé ta vie, pas vrai ? Tu en avais marre, tu étais troublé, tu t'ennuyais. Un vrai perdant.*

— Merci, dis-je.

— *Et puis je suis arrivé. Pense à ça ! L'arrivée de Norbert.*

— Pas si fort ! dis-je en chuchotant. Je ne veux pas réveiller mes parents.

— *Qui a battu les Couguars, hein ? Qui a amené Miranda à s'intéresser à toi ? Qui a compté le but victorieux ?*

— Ce n'est pas toi.

— *Si, c'est moi !*

— Chut, dis-je tout bas.

— *Penses-y. L'arrivée de Norbert fut le jour le plus important de ta vie. Pas vrai ? Hein ?*

— Chut !

Avez-vous déjà eu le dernier mot dans une discussion avec votre nez ? Non, hein ? C'est bien ce que je pensais.

Chapitre 3

L'arrivée de Norbert

La cloche sonna, séparant le silence du bruit. Avant la sonnerie, la classe était plongée dans le calme. Penchés sur leur pupitre, les élèves se concentraient. Après la sonnerie, ce fut le branle-bas de combat. On était un vendredi après-midi ! L'heure était venue d'aller délier ses muscles ankylosés, de mettre de côté ses préoccupations quotidiennes et de passer deux jours à ne pas penser à grand-chose. Alors, pourquoi étais-je si grognon ? À croire que j'avais envie de rester à l'école.

— On rentre ensemble à la maison ? me proposa Victor de son pupitre, juste devant le mien. Bel après-midi pour la marche. On n'aura même pas besoin de mettre nos blousons.

Un sourire égayait son visage. Il aimait son chez-soi.

C'était peut-être ça qui n'allait pas. Je n'avais pas hâte de rentrer chez moi. En partie parce que c'était si terriblement tranquille à la maison. Jusqu'à ce que ma mère revienne du bureau, à dix-huit heures, je n'aurais pour toute compagnie que les moutons de poussière sous le téléviseur. Je fis un petit signe à Victor. Bien sûr que j'acceptais sa proposition.

Miranda me regardait. L'une des élèves les plus gentilles de la classe et, de loin, la meilleure athlète. Intelligente en plus, et jolie. Elle donne l'impression de manger beaucoup de fibres et de faire des pompes tous les matins. Elle n'avait aucune raison de me remarquer, moi. Moi, l'ennuyeux Alan Dingwall, mangeur de croustilles, le gars qui n'a pas la moindre idée – mais alors pas la moindre – de ce qui se passe pendant les cours de maths. Pour ce que j'en comprends, M. Duchesne pourrait aussi bien parler une langue étrangère. Le sanscrit, peut-être. J'essayai de sourire à Miranda, mais elle s'était déjà détournée.

Victor avait raison, c'était un magnifique après-midi de fin septembre, réchauffé par un soleil radieux. Comme l'été, mais en plus précieux, parce que l'on savait que ça ne durerait pas. Plus précieux, et plus mélancolique. Nous avons noué nos blousons autour de nos tailles.

Les brutes de la 7e L se tenaient à l'extrémité sud de l'école, alors nous sommes sortis par la barrière nord. Qui sont ces brutes, qui se font appeler *Couguars* ? Ce sont des jeunes de mon âge, qui sont tout simplement plus gros et plus costauds que moi, à l'exception de Prudence qui, elle, est plus petite que moi.

Il y a deux barrières dans la cour d'école. Chaque après-midi, les Couguars occupent l'une d'entre elles, tantôt celle du nord, tantôt celle du sud. Et le reste de l'école sort par l'autre. Ce jour-là, donc, tout le monde emprunta la barrière nord, parce que les Couguars se tenaient au sud. Cela allongeait notre trajet, car il fallait longer la rue Elgin, mais ça ne me dérangeait pas.

En réalité, ce n'est pas vrai. Oui, ça me dérangeait. Ça me dérangeait même énormément.

Ça me déplaisait de ne pas pouvoir choisir par quel chemin rentrer à la maison. Ça me frustrait d'être forcé de faire les quatre volontés des Couguars. Ça m'agaçait de ne pas compter à leurs yeux. Les brutes n'agissaient pas ainsi pour me terroriser, moi, Alan Dingwall, ou mon ami, Victor Grunewald, ou aucun des autres camarades qui rentraient chez eux à pied. Ce n'était pas une atteinte personnelle... ça s'adressait à nous tous. Aucun de nous n'avait la moindre importance à leurs yeux.

Une autre chose qui me dérangeait, c'était de ne rien pouvoir y faire. Qu'est-ce que j'aurais pu dire à mon enseignante, Mlle Scathely ? Ou au directeur ? Les Couguars ne nous font pas de menaces ; ils ne vont pas nous battre ou nous voler l'argent du dîner.

Ils ne font mal à aucun de nous. Mais ils le pourraient. Ils sont assez méchants pour ça.

Une fois, l'an dernier, Gary, un des Couguars, est tombé dans la boue après avoir trébuché sur un garçon qui s'appelait Charles. C'était un accident. Charles s'est excusé et tout et tout, mais le pantalon de Gary était quand même tout sale. La semaine suivante, Charles est arrivé à l'école en pantalon court. Quand on lui a demandé pourquoi, il s'est mis à pleurer. La raison, c'était que *tous* ses pantalons étaient sales. Les Couguars avaient attendu le jour de la lessive et là, ils avaient enlevé tous les pantalons qui étaient étendus sur la corde à linge pour les tremper dans de la peinture noire. Puis ils les avaient remis à sécher sur la corde.

À mes yeux, ce qui était le plus affolant dans cette affaire, c'est le fait qu'ils aient suivi Charles jusque chez lui. La cour arrière d'une personne, c'est son château. Je détesterais que les Couguars viennent rôder autour de chez moi. Charles et sa famille ont déménagé l'été d'après. Je ne pense pas que cette histoire de peinture y soit pour quelque chose, mais qui sait ?

La semaine dernière, une nouvelle est sortie par la barrière des Couguars. C'était sa première journée à l'école, et elle ne savait pas ce qu'elle faisait. Nous l'avons observée, tous ensemble, debout en plein milieu de la cour de récréation, et nous avons vu cette fille venue de l'extérieur de la ville – une élève de sixième année, ni grande ni petite, juste une fille ordinaire – traverser la barrière occupée par les Couguars. Ils l'ont laissée passer, ne l'ont même pas regardée. C'est *nous* qu'ils regardaient. Elle s'est dirigée vers le bas de la rue, toute seule. *Et aucun de nous ne l'a suivie.* Nous avons tous fait demi-tour pour sortir par l'autre barrière. Elle a dû nous trouver bien arrogants, mais ce n'était pas le cas. Nous étions simplement terrorisés.

Le lendemain, la nouvelle savait déjà à quoi s'en tenir. Quelqu'un de sa classe l'avait mise au parfum. Depuis lors, elle utilise la même barrière que nous tous.

Ce n'est pas normal, ce comportement de moutons : cette façon de vérifier où les Couguars s'installent pour virer de bord tous ensemble, comme un troupeau, et partir par l'autre côté. Une autre raison qui me faisait détester le retour à la maison.

Miranda ne semble pas craindre les Couguars. Notez bien, toutefois, qu'elle rentre chez elle en autobus.

Je lorgnai vers les Couguars à travers la cour d'école ensoleillée : Larry et Barry, Gary et la grande Mary. Et Prudence. Tous les autres élèves s'éloignèrent d'eux, dérivant lentement, mais inexorablement, vers la barrière située à l'autre bout.

Larry et Barry ne sont pas des brutes typiques. Costauds et idiots, ils rient quand quelqu'un rote. Dans une classe normale où ils seraient les seuls de leur genre, on se contenterait de les traiter de gros nonos. Mais dans une classe où il y a de vraies brutes – dans la même classe que Gary ou Mary, par exemple, qui rient quand quelqu'un se fait mal –, ils agissent comme des brutes, eux aussi. Et bien sûr, tout le monde dans la classe s'incline devant Prudence qui, elle, ne rit tout simplement jamais.

Mary est vulgaire ; une armoire à glace de cour de récréation voguant sur une mer de morve et de gros mots. Sans parler des gaz – je n'envie guère l'élève qui occupe le pupitre derrière elle en classe. Quant à Prudence, elle est bizarre : à première vue, on ne penserait pas qu'elle fait partie de la même ligue que Mary. Elle n'est pas tellement avenante, parce qu'elle ne rit jamais. Mais elle pourrait paraître jolie. Elle est petite et mince, avec des traits agréables, je pense. Propre aussi – elle porte des tresses et de beaux vêtements. Quand elle crache, ça ne retombe jamais sur elle. Ce qu'on peut affirmer, c'est qu'elle est dure. En dedans comme en dehors. Si vous lui causiez un tort quelconque, elle prendrait sa revanche, même au prix de sa vie. Si vous la jetiez par terre et que vous déménagiez à l'autre bout du continent, vous n'arriveriez pas à dormir sur vos deux oreilles, car vous sauriez qu'un jour, oh peut-être pas cette semaine ni la prochaine, mais un jour, certainement, Prudence vous retracerait et vous jetterait par terre à son tour. Et qu'alors elle vous piétinerait.

Et la force qu'elle a ! Un jour, à la récré, je l'ai vue serrer dans ses mains une boîte de haricots en conserve jusqu'à ce qu'elle éclate. Une sorte de gageure avec Gary. Une petite foule s'était attroupée autour d'eux. Le métal de la canette lui tailladait la main jusqu'au sang, mais elle continuait de serrer comme si de rien n'était, et son expression n'a pas changé jusqu'à ce que les haricots giclent hors de la boîte. Elle a alors fait un petit signe de tête à Gary et s'est éloignée, du sang lui dégoulinant le long des doigts.

— Ah ! Si on n'était donc pas toujours obligés de se préoccuper des Couguars..., dis-je à Victor en traversant le pont de la rue Elgin. T'aimerais pas ça, toi ?

Penchés au-dessus du parapet, nous regardions l'eau, qui était haute. Victor s'essuya le nez.

— Moi, je ne m'en fais pas avec les Couguars, répondit-il.

— À cause d'eux, on fait un grand détour, ce soir, pour rentrer chez nous, remarquai-je.

— Oh ! bien sûr. Mais je ne m'en fais pas avec eux.

— Ce n'est pas correct ! dis-je en criant presque. Tu ne vois donc pas ? Ils ne devraient pas s'en tirer comme ça, sans représailles. On devrait les affronter. Je regrette d'être tellement... tellement...

— Froussard ? suggéra Victor, mon ami Victor.

— Merci bien, Vic, soupirai-je, mais il avait raison.

— Tu ne veux pas te faire réduire en bouillie. Il n'y a rien de froussard là-dedans. Tu n'es pas Superman, seulement un gars ordinaire.

— Alors, j'ai besoin d'aide. Nous avons besoin d'aide. Où est-ce qu'on devrait aller en chercher ?

Victor me dévisagea. Puis il pointa un doigt vers le firmament.

— Regarde, dit-il, là-haut dans le ciel. C'est un oiseau ? C'est un avion ?

Sacré farceur de Victor, va ! Je lui flanquai un petit coup de poing.

— Aïe ! Ça fait mal !

— Désolé.

— C'était un fameux coup ! gémit Victor en se frottant le bras. Peut-être que tu n'as pas besoin d'aide, Alan. Peut-être que tu es déjà assez fort.

Je ris et lui demandai :

— Sérieusement, tu n'aurais pas envie, toi, de mesurer deux mètres pour ne pas avoir à t'inquiéter des brutes ?

— Si je mesurais deux mètres, dit-il en haussant les épaules, je gagnerais des millions de dollars par année en jouant au basket. Il n'y a plus rien qui m'inquiéterait.

Je soupirai. Je n'arrive pas à décider si Victor est le garçon le plus sensé que je connaisse, ou alors le plus bête.

En tournant dans le croissant où nous habitons tous les deux, j'aperçus la mère de Victor dans son jardin. Je voulus lever la main pour lui faire un petit signe, mais je me ravisai. Victor ne le faisait pas, pourquoi l'aurais-je fait ? Ce n'était pas ma mère.

— Que vas-tu faire en arrivant chez toi ? demanda mon copain.

— Je n'en sais rien, répondis-je, un peu fâché contre moi-même.

Je ne voulais ni regarder la télé ni jouer à l'ordinateur. Ç'aurait été trop facile. Je voulais me punir de n'avoir pas tenu tête aux brutes... de n'avoir personne qui m'attende à la maison. C'est stupide, je le sais, mais c'est comme ça que je me sentais.

— Je pense que je vais tondre la pelouse, dis-je avec assurance.

Victor me coula un regard entendu. Il sait que je déteste tondre le gazon. Puis il réitéra sa question :

— Non, sérieusement. Qu'est-ce que tu vas faire ?

Une chienne colley rôdait autour de moi. Elle me regardait en haletant. Elle ne semblait pas avoir de propriétaire.

— Va-t'en ! lui criai-je pour couvrir le bruit de la tondeuse.

Elle s'éloigna d'environ un mètre en trottant, puis se soulagea sur un de nos rhododendrons. Je poursuivis mon travail. Ça faisait deux ou trois semaines que je n'avais pas passé la tondeuse, de sorte le gazon n'était pas facile à couper. J'arrêtai la machine pour dégager les hautes herbes enroulées dans les pales du rotor. Une envie de limonade commençait à me faire saliver quand je perçus un faible bourdonnement près de mon oreille, si proche, en fait, que je sentais également une vibration. Vous savez ce que ça veut dire. Je le savais, aussi : une abeille voletait dans les parages. Si près de l'oreille, c'était trop proche pour ma tranquillité d'esprit. Pivotant brusquement, j'eus la vision furtive d'un objet qui voltigeait devant ma face – une masse jaune et noire, un peu floue, grosse comme une balle de fusil, environ. Poussant un cri, je sautai en arrière. Le bourdonnement me suivit. Je me mis à courir et trébuchai sur la chienne. L'espèce d'idiote croyait probablement que je voulais jouer. Je vacillai, puis nous sommes tombés ensemble, la chienne et moi. Je ne sais pas comment elle se sentait mais moi, en tout cas, j'étais drôlement sonné. Je manquais d'air. Pendant une bonne minute, plus moyen de respirer. J'étais effondré sur le sol, plié en deux. Au bout d'un certain temps, je parvins à prendre de profondes inspirations, extrêmement douloureuses. On dit qu'il faut respirer lentement dans de tels cas, inspirer par le nez et expirer par la bouche. J'entendis l'abeille encore une fois, faiblement, mais je ne me cassais plus la tête avec ça. J'avais trop mal. Je fermai les yeux en essayant d'inspirer par le nez, et d'expirer par… Mais voilà que, tout à coup, une douleur aiguë me fit tressaillir.

Oui. *Dans* mon nez. Très loin à l'intérieur…

Connaissez-vous l'histoire de l'abeille qui avait volé jusqu'au fond du nez d'un bonhomme, puis qui s'y était enfoncée, en rampant et en bourdonnant, jusqu'à son cerveau ? Et là, elle l'avait si bien piqué qu'il en était mort ! Vous l'aviez déjà entendue, celle-là ? Eh bien, c'est ça qui m'est venu à l'esprit quand j'ai ressenti cette douleur dans mon nez, et ça m'a fichu la panique. Vous n'auriez pas eu peur, vous autres ?

Je me mouchai aussi fort que je le pouvais, en bloquant mes narines, une à la fois, pour forcer l'air à sortir. Aucun mouchoir de papier en vue, mais ce n'était pas le temps de se préoccuper des bonnes manières. Au bout d'une minute, je m'arrêtai. C'était pas mal dégueulasse, mais je m'en foutais. L'abeille était-elle sortie ? Je ne la voyais pas. Je ne l'entendais pas non plus. Peut-être s'était-elle envolée pour aller voir les fleurs. Mais peut-être pas. Je me mouchai de nouveau.

Le nez ne me faisait pas mal.

Je ne savais pas si je devais m'en faire ou pas. J'avais la quasi-certitude que quelque chose avait pénétré dans mon nez et que je ne l'avais pas expulsé en me mouchant... mais, bon, je n'avais pas du tout mal au nez. Je me suis dit que si j'avais une abeille dans le système, je la sentirais.

Pendant ce temps, la chienne s'était éloignée de quelques mètres et me dévisageait, la tête penchée de côté, comme si je donnais un numéro de cirque. Bête idiote !

Je me mis à éternuer. Atchoum. *Aatchoum.* ***Aaatchoum !*** En fin de compte, quelque vingt éternuements plus tard, je m'arrêtai. Je ne sentais rien. Je reniflai à quelques reprises, expérimentalement. Rien. Rien du tout.

Parfait. J'avais dû déloger l'intrus... quel qu'il soit. Je revins vers ma tondeuse. C'est à ce moment-là que j'entendis la voix qui disait :

— *On y est, enfin !*

Je regardai par-dessus mon épaule pour voir qui parlait, mais je savais déjà qu'il n'y avait personne. Cette voix suraiguë provenait de l'intérieur de moi. Plus précisément, de l'intérieur de mon nez.

— *Ah ! c'est bien, ici. Dis donc, c'est un endroit formidable que tu as là.*

— Allô, dis-je. Qui es-tu ?

— *Salon, chambre à coucher, cuisine et pièce à l'arrière. Et un garage, bien sûr. Très bien, vraiment. Je pense que je vais être heureux ici.*

— Veux-tu bien me dire de quoi tu parles ? dis-je.

— *Comparé à l'endroit où j'habitais, sur Jupiter, ici… c'est du luxe. Tout comme dans les publicités que vous lancez, vous, les humains. Ah ! Ça, c'est une vie à mon goût !*

— C'est de mon nez que tu parles comme ça, n'est-ce pas ?

— *C'est toi qui le dis. Moi, je suis étranger par ici.*

Une voix grinçante et suraiguë émanait de mon nez. Je paniquai tout à coup. Je n'aimais guère l'idée d'une créature extraterrestre vivant à l'intérieur de moi. Il fallait que je la sorte de là. Avec mon poing fermé, je me donnai un bon coup sur le nez. Ayoye ! Je retins mon souffle et je me mouchai aussi fort que je le pouvais, une narine à la fois. Je criai, je bourdonnai, je me mis à courir en agitant la tête. Je devais avoir l'air d'un cheval affolé par les mouches. S'imaginant que toutes ces simagrées constituaient un jeu, la chienne me pourchassait à petits bonds à travers la cour, en aboyant.

Je m'arrêtai. Je haletais, la chienne aussi. On échangea un regard. Silence.

Se pouvait-il que ma méthode ait fonctionné ? Je ne sentais plus rien en moi.

Je risquai un petit « Allô », osant à peine y croire.

— *Fiou ! Est-ce que c'est une étuve, ici-dedans, ou est-ce seulement moi qui ai chaud ? J'espère que tu as l'air climatisé. Dans mon dernier logement, il n'y avait que de tout petits ventilateurs, et laisse-moi te dire que...*

Ce fut la goutte d'eau qui fit déborder le vase : je m'assis et fondis en larmes. La chienne me jappait au visage. J'essayai de la chasser, mais elle ne broncha pas. Je pleurai de plus belle.

— *Hé ! ça suffit, mon grand ! Tu es en train de me noyer. Ça se répand partout dans la pièce arrière.*

Je m'arrêtai, pétrifié de surprise. Personne ne m'avait jamais appelé *mon grand* auparavant.

— *Bon, voilà qui est mieux.*

La voix avait des accents encourageants, mais, tout de suite après, elle se fit dure :

— *Et toi, Lassie, file chez toi ! Oui, allez, ouste à la maison ! Cours après un bâton. Ou alors va sauver quelqu'un qui se noie, d'accord, fille ? Fais ça pour moi. Oh là là !*

Je ne pus réprimer un rire devant l'expression tordante de la chienne. Après un moment, elle agita la tête et s'en alla en trottinant.

— *Voilà qui est mieux. Quand on rit, c'est bon signe. Peut-être n'as-tu pas besoin d'autant d'aide que tu le crois, mon gars.*

— De l'aide ?

— *Bien sûr. Tu n'as pas appelé à l'aide ?*

Je ne répondis pas.

— *Eh bien, ne t'en fais pas avec ça. Je vais aller préparer du chocolat chaud à la cuisine. Tout le monde boit du chocolat sur Jupiter.*

Je jetai un coup d'œil aux alentours : aucun voisin dehors, grâce au ciel. Je ne voulais pas que quiconque me voie en train de parler tout seul.

— *Ne prends donc pas tes grands airs. J'essaie seulement de briser la glace entre nous deux. Dis donc, comment tu t'appelles ?*

Je n'étais pas cinglé, du moins je ne le pensais pas. On est cinglé quand on ne sait pas ce qui se passe. Or, je savais très bien ce qui se passait ; sauf que ça n'avait tout simplement pas de bon sens.

— Je suis Alan, dis-je.

Un peu plus et je tendais la main, mais je me rappelai à temps qu'il n'y avait personne pour la serrer.

— *Moi, c'est Norbert.*

— Et tu viens de Jupiter, dis-je. C'est tellement bizarre.

— *Qu'est-ce qui est bizarre ? Tu viens de la Terre. Voilà la bizarrerie. Une minuscule planète constituée presque uniquement d'eau. Cependant, Alan, je vais t'avouer une chose : tu es un hôte formidable. J'adore cet endroit.*

— Tu veux parler de l'intérieur de mon nez ?

— *Appelle ça comme tu voudras. Ça demande un peu d'aménagement, mais il y a pas mal de potentiel. Tu ne sais pas ce que tu as en toi, Al.*

Chapitre 4

Fais comme chez toi, Norbert !

Je laissai tomber la pelouse cet après-midi-là. Ça ne m'apparaissait plus aussi urgent de la tondre. J'étais trop... je ne sais pas... trop stupéfait de ce qui était arrivé. Et puis Norbert ne me lâchait pas avec ses questions :

— *Qu'est-ce que tu fais ? C'est quoi, ça ? Une bicyclette ? Une boîte aux lettres ? Pourquoi enlèves-tu tes souliers sur le paillasson de l'entrée ? C'est un escalier, ça ? Et ça, un évier de cuisine ? C'est un vrai grille-pain ?*

— Oui, un véritable grille-pain.

Et là, pour satisfaire sa curiosité, j'ai fait une rôtie. Il était très excité.

— *Ça sent bon !*

— Et ça goûte encore meilleur. Dis, Norbert ?

Je n'étais pas encore habitué à converser avec moi-même, mais il fallait que je lui pose la question. Nous étions dans le salon, et je me voyais dans le miroir au-dessus de la cheminée – étrange reflet.

— Norbert, dis-je, comment ça se fait que tu parles anglais ? Ne me dis pas que c'est ce qu'on parle sur Jupiter.

— *Tu oublies les signaux que vous lancez. Sons et lumières. Radio. Images télévisuelles. Ça fait des années que vous émettez tout ça dans l'espace, et laisse-moi te dire que sur Jupiter, une année, ça dure longtemps. Je parle des tas de langues.*

— Wow !

Dans la petite ville de Cobourg, il y a bien quelques fermiers qui parlent hollandais, mais pour tous les autres, une langue étrangère, c'est le côté français sur les boîtes de céréales.

— *Mes signaux favoris en provenance de la Terre sont ceux qui transmettent de la musique country. Cette k.d. lang est merveilleuse, n'est-ce pas ? Est-ce que tu l'aimes ?*

— Je ne sais pas. Elle ne chante pas mal, j'imagine.

— *Sur Jupiter, nous l'adorons.*

Le souper est habituellement plutôt tranquille chez nous. Il n'y a que nous deux, maman et moi, et un mets acheté tout préparé qui sort du four. Au menu ce soir-là : une pizza du supermarché. Maman mastiquait la sienne en lisant des rapports de son bureau, et je grignotais la mienne en feuilletant un magazine de *Silver Surfer* quand, tout à coup, le nez s'est mis à me picoter.

— *C'est quoi, le truc que tu manges ?*

Coup d'œil à maman. Avait-elle entendu ?

— De la pizza, répondis-je en chuchotant.

— *Est-ce que c'est censé avoir cette odeur-là ?*

— Pour ce qui est du goût, cette pizza n'est pas fameuse, mais l'odeur est plutôt normale.

Norbert demeura silencieux pendant un moment. Je continuais à manger. Il faudrait bien que je parle de Norbert à maman, je le savais, mais je n'avais pas décidé quoi lui dire. Ça m'embêtait. Je m'étais imaginé que Norbert se fermerait la trappe quand il y aurait du monde alentour.

Mais pensez-vous !

— *Bonsoir, madame,* dit-il.

Maman me regarda. Je rougis. Elle reprit sa lecture.

— *Enchanté de vous connaître. Moi, c'est Norbert.*

Maman ne répondit rien.

— *C'est qui, cette grincheuse ?* demanda Norbert.

Je me couvris la bouche (pleine) avec une main.

— Chut ! lui dis-je tout bas. C'est ma mère.

— *Ta mère, hein ? Eh bien, je sympathise.*

— Oui, mon chéri ? fit ma mère, sans quitter son document des yeux.

— *Il y a longtemps qu'elle ne s'est pas amusée, on dirait.*

— Chut ! lui répétai-je.

— Quoi ? dit maman. Tu as dit quelque chose, Alan ?

— Non, maman, répondis-je – ce qui était, ma foi, plutôt vrai.

Elle retourna à son rapport, et moi... enfin, Norbert renifla ostensiblement. Moi, quand je renifle comme ça, c'est que je sens venir un éternuement. Norbert, lui, c'est qu'il est dégoûté.

— *Hé, madame Chose ! Je vous parle !*

Oh là là ! Ma mère leva la tête, l'air fâché. Je ne savais que faire. Je suis devenu écarlate – une démonstration du fameux teint Dingwall en pleine floraison. Je parie que mes joues avaient la même couleur que la sauce tomate sur ma pizza.

— Tu as dit quelque chose, mon chéri ?

— Hum, non ! Je pense que j'ai à peu près fini de manger. Est-ce que je pourrais sortir de table ?

Elle me donna la permission d'un signe de tête mécontent. Je filai hors de la pièce. Une fois dans ma chambre, je m'assis et j'eus une petite conversation avec... eh bien, avec Norbert. Selon toutes les apparences, bien sûr, je me parlais tout seul. Très drôle.

— Norbert, il n'est pas question que tu cries après maman, comme ça. Ce n'est pas poli.

— Comment ça, pas poli ? Et elle, alors ? Son Altesse des hauteurs, prêtresse sans délicatesse. C'est poli de ne pas s'occuper de son propre fils pendant le souper ?

— Ce n'est pas juste, Norbert. Elle m'a parlé en rentrant du travail.

Ça me faisait drôle de dire ça. Ma mère n'est pas impolie, enfin pas exactement, mais, tout de même, je suis son fils et elle ne passe pas beaucoup de temps avec moi. Je sais qu'elle m'aime et tout et tout, mais... d'une certaine manière... eh bien, enfin, ce que je veux dire, c'est qu'une partie de moi était bien d'accord avec Norbert.

— Ouais. Elle t'a demandé comment s'était passée ta journée. Puis elle a dit : c'est bien. Et après, elle a mis la pizza congelée dans le four.

— Elle travaille fort.

— Vraiment ?

— Pour ça oui, je t'assure ! C'est dur pour elle de bien faire son travail tout en élevant un adolescent. Et mon père n'est pas là pour l'aider.

Je n'en revenais pas ! J'étais en train de prendre la défense de ma mère.

— Oh, oh ! Eh bien, c'est ta mère, Grand Bonhomme, pas la mienne. Pour en revenir au souper, il y a une chose que je me demande : est-ce que ça goûte toujours aussi mauvais ?

— Ouais, souvent. Parfois, on mange du pain de viande. Ça, c'est maman qui le fait et c'est bon.

— Alan, est-ce que je peux entrer ? demanda ma mère après avoir toqué à la porte.

Je me levai. Pourquoi ? Je n'en sais rien. Peut-être me sentais-je coupable. Quand on est coupable, on se lève. J'éparpillai mes livres de classe sur ma table de travail pour donner l'impression que j'étais en train de les lire.

— Mais oui, entre.

— *On parlait de vous, justement.*

— Chut, Norbert.

Maman entra en me zieutant curieusement.

— Alan, est-ce que tu as le rhume ?

Je me couvris le nez de la main.

— Non, non. En fait, je ne sais pas. À bien y penser, je couve peut-être quelque chose.

Je fis semblant de tousser.

— C'est seulement que tu paraissais tellement étrange, à table, tantôt. Et ensuite, pendant que tu montais l'escalier, je t'ai entendu qui te parlais tout seul et je me suis dit... enfin j'ai pensé que tu étais peut-être malade.

Elle s'approcha et, un peu gauchement, tâta mon front de sa main sèche et fraîche. Étant un peu plus petite que moi, maintenant, elle dut lever le bras. Elle porte encore son alliance.

— *Dites donc, quel parfum agréable !* s'écria Norbert.

Je faillis m'étouffer. Maman ne dit rien. Elle cessa de frotter mon front pour une minute, puis elle continua.

— *Très agréable. Je m'ennuie de ma mère, moi aussi, savez-vous. Elle est à quelque six cent cinquante millions de kilomètres d'ici.*

— Là, là, murmura maman. Tu ferais peut-être mieux de t'étendre.

— Oui, peut-être.

Du drôle de monde, les mères. Maman savait, pour Norbert, mais faisait comme si de rien n'était. Elle n'y croyait pas vraiment. Elle l'appelait mon ami imaginaire. Je l'entendis en parler à grand-maman au téléphone quelques soirs plus tard.

— Figure-toi donc qu'Alan a un ami imaginaire, maintenant, lui raconta-t-elle en riant. Une simple phase, que traversent des tas de garçons. Un signe de créativité, selon les bouquins. C'est bien, non ?

Norbert se mit à renifler en entendant ça. Ensuite, nous sommes montés à ma chambre, faire mon devoir de maths. Curieusement, lui qui peut piloter un vaisseau spatial et tout et tout, eh bien, il ne vaut guère mieux que moi en maths.

— *Ce que vous apprenez, c'est la théorie ancienne*, m'expliqua-t-il quand je lui en fis la remarque. *Sur Jupiter, nous utilisons un nouveau système.*

Norbert mit très peu de temps à s'intégrer à ma vie. En partie parce que j'aimais avoir de la compagnie, en partie parce que je n'avais pas le choix… car, enfin, je ne pouvais pas le prier tout simplement de partir. La fin de semaine n'était pas terminée que je le considérais presque comme un frère. Tantôt comme un aîné, tantôt comme un cadet, mais toujours avec une grande gueule. En fin de compte, il était à la fois plus vieux et plus jeune que moi. En années de Jupiter, il a trois ans. Or, comme Jupiter met un peu moins de douze ans à tourner autour du Soleil, ça représente environ trente-six ans en années d'ici. Norbert a donc trois ou trente-six ans, c'est selon… en fait, par moments j'ai du mal à déterminer où il se situe.

— Pourquoi as-tu choisi mon nez comme point de chute ? lui demandai-je.

— *Eh bien, j'avais le choix entre ton nez ou le museau de la chienne.*

J'avais oublié la chienne colley.

— *T'es-tu déjà retrouvé dans un museau de chien ? Tu sais où les chiens promènent leur truffe, la majeure partie du temps ?*

Un argument de poids.

L'idée d'aller à l'école, le lundi, m'inquiétait passablement. Je me voyais mal expliquer Norbert à toutes mes connaissances. Comment leur faire comprendre qu'un extraterrestre vivait dans mon nez ? Qui me croirait, seulement ? Probablement personne. On allait croire que c'était moi qui parlais avec cette voix de criquet. Qui aime courir après le trouble ? Pas moi en tout cas, et pourtant, je devinais que, d'une manière ou d'une autre, Norbert trouverait moyen de me plonger dans l'embarras dans les jours suivants.

Je rejoignis Victor, qui sortait de chez lui. Sa mère était sur le pas de la porte. C'était un matin lumineux, un peu frisquet ; le soleil se levait sur le lac tranquille, l'azur du ciel si intense qu'on pouvait à peine le regarder sans avoir mal aux yeux.

J'aime bien Mme Grunewald, une petite dame grassouillette qui parle avec un accent irlandais digne des farfadets des légendes. Elle se considère elle-même comme une Grunewald de la région de Killarney*.

— Salut, les gars. Passez une magnifique journée !

— Salut, maman, dit Victor en m'entraînant loin de la maison.

— Salut, dis-je.

— *Adieu, mavourneen !* cria Norbert.

— Quoi ? demanda Victor en se tournant vers moi.

---

* Killarney : région touristique de la république d'Irlande.

— C'est mon nez, dis-je. Il parle plein de langues. Il est bourré de talents.

— *Merci.*

— Quoi ? répéta Victor.

Je haussai les épaules. Je rougissais déjà et je n'étais même pas rendu à l'école.

Chapitre 5

Ou alors *quoi*?

À notre arrivée dans la cour d'école, l'autobus était en train de se garer. Quand je pense à un autobus scolaire, l'image qui me vient toujours est celle d'un gros chien berger jaune qui, chaque matin, rapaille les jeunes disséminés à travers la campagne où ils habitent et les ramène au corral. Miranda fut la première à descendre. Elle habite dans une ferme – elle nous en a parlé, une fois, en classe –, une vraie ferme, avec un silo, une étable et tout le tralala. Ils ont des vaches, des moutons et une centaine d'acres de maïs. Ça me fait drôle de penser qu'elle vit à la campagne et qu'elle vient en ville tous les jours pour fréquenter l'école. Elle passe la moitié de la semaine de la même manière que moi, et l'autre moitié dans un environnement qui me paraît aussi étranger que... eh bien, que Jupiter.

— Hé ! les gars ! cria-t-elle. Hé ! Alan, Victor, attendez-moi !

Je m'arrêtai, un peu nerveux, en ayant l'impression d'avoir l'air idiot. J'aimais bien

Miranda, et je ne savais absolument pas quoi lui dire. Elle fonça droit sur Victor et demanda :

— Tu as passé une bonne fin de semaine ? (Victor acquiesça.) Merveilleux.

Elle s'animait, et sa tignasse brun clair sautillait au rythme de ses hochements de tête.

— Et toi, Alan ? T'est-il arrivé quelque chose d'intéressant, en fin de semaine ?

— Pas grand-chose, répondis-je en levant les épaules.

— C'est l'inscription aux *intra-muros*, aujourd'hui, dit-elle, et ça m'excite. Allez-vous participer, vous deux ?

J'avais oublié ça, moi. Les sports *intra-muros* – affrontement entre classes à l'heure du dîner. Je n'aimais pas le soccer à ce point.

— Je ne sais pas, dit Victor. Courir en rond, comme ça…

— Oh ! quel dommage ! fit-elle.

Elle paraissait réellement déçue du manque d'enthousiasme de mon copain. Elle en avait le visage tout chiffonné.

— Tu devrais jouer, Victor, insista-t-elle. Tu aurais du plaisir. Moi, je m'inscris et j'en ai déjà parlé à d'autres élèves de notre classe. Mlle Scathely est intéressée, elle aussi.

— Hum, hum, dit Victor.

Nous longions l'arbre qui pousse au milieu de la cour d'école. Un orme assez gros, mais en mauvais état, aux feuilles sèches, mangées par les pucerons. Un arbre malade que l'on devra abattre un jour au l'autre. Je l'évite, habituellement, parce que c'est là que se tiennent les brutes de 7e L avant l'école et à l'heure du lunch. Larry et Gary s'y trouvaient, deux colosses tatoués aux cheveux coupés en brosse. Ils rotaient à qui mieux mieux, lançant des éructations sèches et bruyantes. On aurait cru entendre un couple de phoques, sauf que les phoques n'ont pas l'air aussi méchants.

Miranda marchait droit vers eux. Victor s'arrêta net et avala de travers :

— Eh bien, euh, à la revoyure, dit-il d'un ton apeuré, avant de filer vers l'école.

J'avais bien envie de virer de bord, moi aussi, mais je ne voulais pas que Miranda s'imagine que j'avais peur des Couguars. Avec elle, je dépassai l'endroit où ils étaient. Avoir voulu, j'aurais pu marcher sur le havresac en toile de Gary, qui gisait sur le sol de façon à montrer les jurons qu'il y avait écrits et le squelette qu'il y avait dessiné. Mais je l'enjambai en faisant bien attention de ne pas y toucher.

— Gare où tu passes, Dingwall ! menaça Gary. Ou alors...

Bon, comme chacun sait, il y a deux manières de réagir à une telle amorce. Soit on fait comme si on n'avait pas entendu, soit on réplique : « Ou alors quoi ? » Si on est soi-même une brute, on peut dire « Ou alors quoi ? » et revenir sur ses pas pour piétiner le havresac.

Je fis celui qui n'avait rien entendu.

— *Ou alors quoi ?* lança Norbert par-dessus mon épaule.

Miranda me dévisageait avec surprise. Je poursuivis mon chemin, espérant de tout mon cœur que Larry et Gary n'aient pas entendu.

— Et pis, Dingwall ? Et pis ?

Ils avaient bel et bien entendu. Je continuai à marcher.

— *Les épis, c'est pour les cochons !* rétorqua Norbert.

— Tais-toi donc ! chuchotai-je.

Miranda riait sous cape, la main devant la bouche.

— Gary et Larry se creusent les méninges pour essayer de saisir ce que tu viens de dire, gloussa-t-elle.

— Je n'ai rien dit, c'était Norbert.

Bien sûr, elle ne comprenait pas.

— C'était génial, dit-elle. Mieux vaut embrouiller Gary que se battre contre lui.

— C'est certainement plus facile, dis-je.

Ma réplique fit rire Miranda.

La cloche nous invita alors à rejoindre les rangs de la septième année, devant la porte centrale.

— Au sujet du soccer, Alan, est-ce que tu pourrais y penser ? me demanda Miranda. Ça me ferait vraiment plaisir si tu participais.

— *Bien sûr que je vais jouer,* répondit Norbert. *Qu'on m'inscrive au plus vite !*

— C'est formidable !

— *Pour toi, je ferais n'importe quoi.*

Elle sursauta, et je devins rouge comme une pivoine.

— Qu'est-ce que tu as dit, Alan ?

— Rien, dis-je en retenant mon souffle. Rien du tout.

— Je t'ai entendu, Alan. Toi et ta drôle de voix.

— C'est mon nez, expliquai-je. Il vient de Jupiter.

— *Sur Jupiter, tout le monde joue au soccer.*

Elle battit les paupières de surprise. Elle souriait, cependant, et je la trouvai bien jolie. Avançant la main, elle me tapota le nez. Ça aussi, c'était bien agréable.

— *Hé ! tu m'as fait renverser mon chocolat !*

— Tout le monde boit du chocolat sur Jupiter, expliquai-je, et Miranda se bidonna.

Personne ne semblait prêt à croire en Norbert, mais il savait certainement capter l'attention des gens.

Je regardai par-dessus mon épaule. Les Couguars formaient un bloc compact dans les rangs. Gary me montrait le poing. Capter l'attention de Miranda, c'était une chose ; celle de Gary, je m'en serais bien passé.

Nous dînons dans une cafétéria petite, bruyante et malodorante, dont le plancher est dur et les chaises, inconfortables. Et notre surveillante aurait bien envie d'être ailleurs. Habituellement, je m'assois près de la fenêtre, avec Victor. Parfois, Nick, Dylan ou Andrew – des camarades de classe – se joignent à nous. On joue aux cartes, on se raconte des blagues et on essaie de ne pas prêter l'oreille aux conversations des filles, quelques tables plus loin.

Ce jour-là, cependant, il en fut tout autrement. Après avoir acheté du lait au chocolat au comptoir de service, je me faufilai vers notre table habituelle. Je m'apprêtais à boire ma première gorgée lorsqu'en levant les yeux j'aperçus Mary qui me toisait. Et Gary. Et Prudence. Les Couguars dînent habituellement à l'extérieur du territoire de l'école, soit dans le champ derrière le nouveau développement domiciliaire, soit au resto du bout de la rue, là où ils peuvent griller des cigarettes. Les seuls endroits où ils fument dans l'école sont les toilettes, mais qui a envie de manger là-dedans ? Sans parler du risque de retenue : une heure, si vous vous faites prendre.

Avant que j'aie pu avaler ma première gorgée, donc, je les vis qui s'assoyaient. Victor arriva sur les entrefaites, mais, constatant ce qui se passait, il passa tout droit, comme s'il ne me connaissait pas.

— Hé ! Vic ! criai-je.

Mais il poursuivit son chemin sans se retourner. Tout un ami, ce Victor !

Les brutes ne disaient rien, ne se parlaient même pas. Scène étrange.

— Salut, vous autres, dis-je d'un ton que j'espérais normal. Comment vont les choses ?

Pas de réponse. Les choses, en fait, se déroulaient très tranquillement. Prudence me regardait fixement. Elle n'avait pas de dîner. Mary mordit à belles dents dans ce qui me parut être une brioche à la graine de sésame couverte de fromage à la crème et garnie d'oignon et de saucisse au pâté de foie. Un *Big Ouache,* pourrait-on dire. Ses petits yeux de truie rivés sur moi, elle avala une énorme bouchée, puis éructa bruyamment. Je plissai le nez. Ça puait déjà assez comme ça dans la café, sans l'aide de Mary.

À l'autre bout de la pièce, Nick, Dylan, et Victor partageaient la table d'un groupe de petits de sixième année. Je leur adressai un signe de la main. Ils détournèrent le regard. Pour eux, je n'existais plus : j'étais déjà un cadavre. Un mort mangeant.

La surveillante passa près de nous. C'était une vieille dame aux cheveux clairsemés et aux chevilles épaisses. Comme à son habitude, elle comptait à voix basse : dix-sept, dix-huit, dix-neuf, vingt. Le nombre d'élèves dans la cafétéria, de boîtes de jus sur le plancher, de jours depuis son dernier congé – difficile de savoir ce qu'elle dénombrait.

Gary me donna un coup de pied sous la table. Il portait d'énormes bottines munies de lourdes semelles.

— Hé ! criai-je.

La surveillante s'arrêta, me fixa un instant, puis passa son chemin. Vingt et un, vingt-deux, vingt-trois. Je mis mes jambes hors d'atteinte.

— Alan, comment ça va ? dit alors une voix familière.

Levant les yeux, j'aperçus Miranda. Jamais de toute ma vie je n'ai été aussi heureux de voir quelqu'un !

— Salut ! Content de te voir..., répondis-je.

Je me sentais bavard, tout à coup. Les Couguars me terrorisaient, et la peur délie la langue, c'est bien connu. J'avais la volubilité d'un animateur de télé.

— Pourquoi ne viens-tu pas t'asseoir avec nous ? ajoutai-je en tirant la chaise à côté de moi. Gare à Gary, cependant... ses jambes ont parfois des mouvements spasmodiques.

Gary s'étouffa. Je poursuivis mon boniment comme si de rien n'était :

— Franchement, c'est formidable ce que je me bidonne avec les trois rigolos ici présents. Un gag n'attend pas l'autre.

Miranda éclata de rire. Mary et Gary grognaient comme deux bouledogues, avec lesquels ils avaient, d'ailleurs, de fortes ressemblances. Oui, j'étais nerveux en leur présence, mais toute cette scène avait effectivement quelque chose de comique. Car, enfin, allaient-ils nous battre en pleine cafétéria ? Avec la surveillante à trois mètres et le bureau du directeur juste un peu plus loin dans le corridor ?

Prudence allongea la main sur la table et s'empara de mon paquet de biscuits. Dommage ! Moi qui avais hâte de m'en régaler.

— Sers-toi, lui dis-je. J'espère que tu aimes les brisures de chocolat.

Il ne me restait plus que ma pomme, que je m'empressai de saisir.

Sans jamais me quitter des yeux, Prudence broya lentement les biscuits à travers l'emballage, puis laissa retomber sur la table cette masse informe, hideuse et mutilée qui avait naguère été un dessert.

— *C'est comme ça qu'on fait les croûtes de tartes en biscuits,* commenta Norbert.

Prudence sursauta. Ses yeux rétrécirent. Puis elle abattit son poing sur les miettes. Elle se mit à les marteler, comme si mon dessert était une cible à anéantir absolument, comme dans les jeux de fête foraine. L'emballage céda et une poussière brune s'éparpilla sur toute la table. Prudence devait ressentir une vive colère, mais son visage restait impassible. Pas rassurant, tout ça. J'avais un morceau de pomme dans la bouche, mais pas la moindre envie de le mastiquer. Miranda posa une main sur mon bras.

En entendant ce boucan, la surveillante s'approcha de notre table.

— Qu'est-ce qui se passe ici ? s'enquit-elle.

Elle semblait ennuyée... On avait dû interrompre son comptage.

Les Couguars se levèrent. Mary avait fini de manger et léchait d'une manière obscène le brun qui tachait ses lèvres. Prudence se pencha au-dessus de la table.

— Tu voulais savoir *ou alors quoi ?* murmura-t-elle doucement.

À coups de pichenettes, elle fit danser l'emballage de plastique brisé sur la table, jusqu'à ce qu'il arrive au bord et tombe par terre.

— Tu vas me ramasser ça ! ordonna la surveillante.

Prudence la toisa, puis regarda les biscuits écrasés sur le plancher.

— Eh bien, voilà ta réponse, me dit-elle.

Sur quoi, elle tourna les talons et se dirigea vers la porte, Mary et Gary se traînant à ses trousses.

— *Les cochons laissent traîner leurs ordures*, cria Norbert dans leur dos.

La surveillante me dévisageait.

— Comment fais-tu ça ? demanda-t-elle. Comment peux-tu parler avec cette drôle de voix aiguë, sans bouger les lèvres ?

— Ce n'est pas moi qui parle, répondis-je.

Chapitre 6

Un nez sportif

La vaisselle du petit déjeuner s'empile sur mon plateau. Mes parents ronflent dans leur chaise. La tête me fait mal sous le pansement. C'est fantastique, la vie d'hôpital ! Le grand luxe, quoi ! Et il faudrait que je retourne aux toilettes.

Je demande à Norbert :

— *Mavourneen,* ça veut dire quoi, au juste ?

Je voulais lui poser la question l'autre matin, mais ça m'était sorti de l'idée. Norbert renifle, comme s'il se raclait la gorge.

— *Ça veut dire « ma chérie » en langue gaélique.*

— Pourquoi as-tu appelé Mme Grunewald « ma chérie » ?

— *J'ai pensé que ça lui ferait plaisir, et j'avais raison, en plus. Elle en parlait encore quand on est allés souper chez elle, la semaine dernière. Elle avait cuisiné un plat spécial pour l'occasion : du bœuf au chou. Ahhh ! quel fumet !*

— Je me souviens, dis-je en frissonnant.

Le chou n'est pas mon aliment favori. Je gage que je ne suis pas le seul à ne pas en raffoler. J'ai remarqué que personne n'a encore fabriqué des croustilles à saveur de chou.

— *Hé! qu'est-ce que tu fais? Tu descends de ton lit? Tu n'es pas censé te lever, pas vrai? Repose-toi tranquillement, c'est ce que le docteur a dit.*

— Il faut que j'aille aux toilettes.

— *Tu veux appeler la gentille infirmière? Ou réveiller tes parents? Ils pourraient t'aider.*

— Je n'ai pas besoin d'aide.

Je dis ça, mais la chambre me donne l'impression de pivoter sur elle-même, lentement, dans le sens des aiguilles d'une montre, tandis que je me soulève hors du lit. C'est curieux, la dernière fois que je me suis levé, elle tournait dans l'autre sens. Comme un ballon de soccer tourbillonne quand on le frappe du pied gauche. Ou serait-ce du pied droit? Miranda saurait ça, elle.

— *Tu te rappelles le match contre les Couguars?*

Bizarre, ça! Je pensais au soccer, justement. On dirait parfois que Norbert est branché sur mon esprit. Lui et moi, nous sommes vraiment très proches.

— *Celui dans lequel j'ai compté le but gagnant?*

— Tu n'as *pas* compté le but gagnant.

— *Je te dis que oui!*

— Et moi, je te dis que non.

— *Oui, bon !*

Comme je disais, Norbert et moi, nous sommes pas mal proches. Nous sommes d'accord sur tout.

La salle de bains de l'hôpital n'est pas grande, mais elle reluit de propreté et de blancheur. Partout où je regarde, j'aperçois la réflexion des ampoules qui éclairent le plafond. Oh ! ma tête !

Le match final des *intra-muros* fut disputé pendant une heure de dîner sombre et lugubre. Des jeunes se poursuivaient et tombaient dans une cour d'école bondée et tapageuse, sous l'œil indifférent d'une poignée d'enseignants qui en avaient ras le bol. Une journée froide, grise et mouillée de novembre. J'étais posté sur la ligne de touche du terrain gazonné, beaucoup trop peu habillé avec mon short et mon maillot à manches courtes. Je portais des bas longs, mais ils passaient leur temps à retomber, et moi à les relever, pour les sentir encore retomber, bien sûr. En plus, je devais chausser ces souliers à crampons que je déteste. Ils sont censés permettre d'arrêter ou de pivoter brusquement, mais moi, tout ce qu'ils me permettent de faire, c'est de tomber brusquement.

Pour un certain nombre de raisons, mais surtout parce que Miranda me l'avait demandé, je faisais partie de l'équipe de soccer de ma classe : les Commodores, comme nous avait baptisés Mlle Scathely. Notre prof tient en haute estime les sports *intra-muros*. Apparemment, les Commodores étaient un groupe musical à l'époque de son enfance. Heureusement qu'elle n'aime pas la musique classique ! Nous serions alors les Philharmoniques de 7e A ou quelque bizarrerie du genre.

Le match allait commencer. À l'autre bout du terrain se trouvait l'équipe adverse : les Couguars. Ils étaient cinq, comme nous, conformément aux règles des *intra-muros*. Ça ressemble davantage au hockey qu'au soccer, en réalité. Notre terrain n'est pas très grand. Avec onze joueurs de chaque côté, il ne resterait pas assez de place pour l'arbitre et le ballon.

Miranda nous convoqua à un caucus préparatoire.

— Rappelez-vous ce qu'on a discuté, dit-elle quand nous fûmes tous agglomérés en bloc compact les uns contre les autres. On ne se laisse pas démonter par les Couguars. On se dépêche d'envoyer le ballon dans la zone adverse. Plutôt que de dribbler, on fait des passes.

Elle poursuivit son laïus, mais je ne portais guère attention à ce qu'elle disait. Le soccer n'est pas mon sport favori. Je m'en foutais des tactiques, de la stratégie, de lancer le ballon dans la zone adverse ou de dribbler. Pour moi, « dribbler » était un terme de basket, de toute façon. Je ne savais pas qu'il s'appliquait aussi au soccer.

Et même si j'avais adoré le soccer, ce n'est pas contre les Couguars que j'aurais eu envie de jouer. Eux n'avaient aucun rituel d'avant-match. Ils se contentèrent d'empiler leurs blousons de cuir, de cracher leur gomme à mâcher et de rester sur place à échanger des coups de poing.

Mlle Scathely faisait les cent pas le long de la ligne de touche, arborant un blouson avec COMMODORES écrit au dos. Quant à M. Taylor, le titulaire de la 7e L (et donc des Couguars), il brilla par son absence pendant les *intra-muros*. Je pense qu'il jouissait de ce répit passé loin de sa classe.

On ne s'imagine pas qu'une bande de brutes puisse s'intéresser aux *intra-muros*. Pourquoi s'adonner au soccer quand on peut jouer du couteau et des allumettes ? C'est Prudence qui avait eu l'idée d'y participer, pour gâcher le plaisir du reste de l'école. Pauvre M. Taylor ! Il grisonne beaucoup plus qu'au début de l'année. Les Couguars avaient déjà battu toutes les autres équipes. Et, ce jour-là, ce serait notre tour.

— Allez, au jeu ! cria le prof de gym, M. Stern.

Un coup de sifflet appuya son appel. Miranda trotta vers le cercle central. Mary-la-brute fit de même. Ainsi que Larry-la-brute. Et Gary-la-brute.

— Allez, venez, les gars, lança Miranda au-dessus de son épaule à ses poules mouillées de coéquipiers, dont je faisais partie.

— Vous connaissez les règles du jeu, dit M. Stern, sifflet au bec. (Savoir parler sifflet au bec est un prérequis absolu pour devenir prof de gym.) Il y aura deux périodes de quinze minutes chacune, plus un temps de pénalité en fin de match. Toute rudesse sera punie très sévèrement.

Il regardait les Couguars en disant cela. Lors du match précédent, ils avaient brisé le poignet d'Andrew – tout à fait accidentellement, selon leur version des faits. « Oh ! on est vraiment désolés », avaient-ils affirmé. Mais, le lendemain, Andrew m'a raconté que les gestes de Mary avaient été délibérés – elle l'avait fait trébucher, puis lui avait sauté sur le bras.

— C'est bien compris ? insista M. Stern.

Il fixait Mary-la-brute. Celle-ci hocha la tête d'un air effronté, se moucha dans le gazon, une narine à la fois, puis se lécha la morve sous le nez. Je ne sais pas ce qu'elle a fait ensuite, parce que je regardais ailleurs.

C'est notre équipe qui donna le coup d'envoi. Miranda passa le ballon à mon ami Victor sur sa droite, côté où se trouvait également Mary. Celle-ci fonça sur Victor, en lui criant de se préparer à souffrir.

C'est Miranda qui devrait expliquer ce qui suit. Elle s'y connaît tellement mieux que moi en soccer. D'après ce que j'en sais, on tape du pied dans le ballon noir et blanc pour le projeter à l'autre bout du terrain, et l'autre équipe nous le renvoie (toujours avec le pied), après quoi on le lui retourne et ainsi de suite. S'il arrive que le ballon s'échappe du terrain, on le fait rentrer dans le jeu en le lançant par-dessus la tête – je ne sais pas pourquoi il faut le lancer par-dessus la tête, mais c'est comme ça. Il y a alors un peu de brasse-camarades et voilà tout à coup que quelqu'un décoche un tir au but. Alors de deux choses l'une : ou bien le ballon entre dans le filet, ou bien il le rate, auquel cas le gardien l'attrape et l'envoie très loin. Après ça, on reprend depuis le début. À la mi-temps, on change de zone. Après le match, on change de vêtements.

Miranda a bien essayé de m'expliquer les subtilités du jeu : les milieux de terrain, les buteurs, le marquage individuel, les différentes sortes de passe et les hors-jeu ; mais je ne me souviens de rien. Elle, ça l'excite. Ses yeux bleu clair se mettent à briller, elle dégage ses cheveux de son front, ses mains s'animent. Je la regarde et j'opine à coups de « Hum, hum », mais, pendant les matches, je reste fidèle à mon style : je cours de part et d'autre du terrain et, si le ballon vient vers moi, je le botte en direction de quelqu'un d'autre.

Notre match contre les Couguars semblait se dérouler comme tous les autres que nous avions joués, à une différence près. Ce n'était pas évident au début, mais cela le devint de plus en plus à mesure que le match avançait. Nous, les Commodores, passions beaucoup plus de temps au sol qu'à l'accoutumée. J'observai attentivement pour confirmer mes soupçons. Notre gardien botta le ballon vers Nick, un bon gars à lunettes qui s'amuse à dessiner des extraterrestres. Nick contrôlait le ballon mais, voyant Larry s'approcher pour l'intercepter, il le passa à Victor. À ce moment même, Larry le fit tomber.

— Hé ! pesta Nick en se remettant sur pied.

Mais c'est Victor qui maniait le ballon maintenant, et c'est donc lui que M. Stern suivait des yeux. Or, aussitôt que Victor eut botté le ballon, il fut renversé au sol par Gary.

— Hé ! cria Victor.

M. Stern ne s'aperçut de rien. Gary toisa Victor en ricanant, cracha et fila en trottant, faisant retrébucher Nick au passage.

— Hé ! protesta Nick.

Pas de doute possible, les Commodores disputaient ce match-là sur leurs fonds de culottes.

Miranda est une joueuse de soccer hors pair. Elle prit alors le contrôle du ballon libre, que convoitait aussi Larry – voilà une expression qui me plaît bien, ballon libre, comme si le ballon avait passé du temps coincé quelque part et se retrouvait enfin libre d'exécuter les mouvements les plus farfelus –, puis elle le frappa entre les jambes de Gary, qu'elle contourna ensuite en courant si vite qu'il tomba en voulant lui faire un croc-en-jambe. Miranda filait le long de la ligne de touche en poussant le ballon devant elle, sans effort, aussi vite que moi quand je cours sans le ballon, sa chevelure volant derrière elle comme un étendard. Les Couguars s'élancèrent à sa poursuite comme un seul homme. Je courais, moi aussi, tout en gardant une distance sécuritaire entre eux et moi. Depuis l'autre ligne de touche, Mlle Scathely lançait à Miranda des encouragements enthousiastes.

Celle-ci avait effectué presque toute la descente, maintenant, et un seul défenseur la séparait du but adverse. Le reste des Couguars accouraient cependant pour la cerner. L'angle de tir semblait mauvais. Jetant un coup d'œil derrière son épaule, elle décocha un lancer en vrille qui propulsa le ballon vers le milieu du terrain. C'est ce qu'on appelle centrer, je crois. En tout cas, le ballon survola la tête des Couguars en un lob magnifique pour atterrir juste devant – oui, vous l'avez deviné – juste devant votre serviteur.

Il n'y avait que moi et le ballon. Et, pas très loin, le gardien, Barry. Le temps sembla s'arrêter. Je n'avais pas besoin de me presser. J'ai remarqué que Barry portait des bas dépareillés – l'un avait une bordure rayée, l'autre pas. Les Couguars approchaient, je le savais. Je savais aussi que les Commodores me criaient des encouragements, mais je ne les entendais pas. J'inspirai profondément et je sentis le terrain onduler sous moi, aussi calme et réconfortant qu'une vague de l'océan. Souriant, je ramenai le pied en arrière, m'apprêtant à frapper.

Je n'allais plus sourire avant un petit moment. Non, je ne suis pas tombé, on m'a…

— *Oui, tu es tombé,* interrompt Norbert en chuchotant.

— C'est faux, dis-je.

— *Tu es bel et bien tombé. Je m'en souviens parfaitement. J'étais là, au cœur de l'action.*

— Je ne suis pas tombé, dis-je tout bas, on m'a fait trébucher.

— *Tu es tombé. Tu t'es enfargé dans tes propres crampons et tu t'es retrouvé au sol, les pieds enroulés autour des oreilles. J'étais terriblement humilié !*

— Norbert, je t'en prie ! Prudence m'a fait un croc-en-jambe par-derrière.

La chambre d'hôpital est tranquille. Seuls les ronflements de mes parents brisent le silence. Et la discussion entre moi et mon nez.

— *Prudence était de l'autre côté du terrain. Pour te faire un croc-en-jambe, il aurait fallu qu'elle porte des chaussures de pointure soixante-dix-huit.*

Je ne dis rien, mais je n'en pense pas moins que je ne suis pas tombé.

— *Si, tu es tombé,* répète Norbert.

— Bon, bon, d'accord. Tu gagnes. Je suis tombé.

— *Espèce de gros balourd !*

Norbert n'a aucune pitié et il ne croit pas que *faute avouée est à moitié pardonnée.*

Quoi qu'il en soit, ce fut Prudence qui se retrouva avec le ballon. Elle le botta à l'autre bout du terrain, si bien que Miranda ne put revenir assez vite pour empêcher Gary de décocher un tir puissant, à environ sept mètres de distance. Nous avons choisi Dylan comme gardien parce que c'est le joueur qui occupe le plus d'espace. Il me dépasse de quinze centimètres, et, en largeur, il en fait deux comme moi. Il a une chevelure volumineuse et épaisse, comme tout, en lui. Il tenta faiblement de bloquer le lancer. De ma position couchée, on aurait dit qu'il saluait de la main. Qu'importe, de toute façon, puisque le ballon avait déjà trouvé le fond du filet.

1 à 0.

Prudence me regarda me relever. Je sentais ses yeux me vriller le dos tandis que je trottais honteusement vers l'extrémité du camp des Commodores. Je m'excusai auprès de Miranda, mais elle me dit de ne pas m'en faire.

— Prudence m'a fait trébucher, dis-je.

— Bel effort, commenta-t-elle, mais je me demande si elle me croyait.

Le ballon était dans le cercle central.

— Allons-y, nous dit-elle. Cette fois, on va les avoir.

M. Stern siffla la reprise du jeu.

Rien de très excitant ne se produisit jusque vers la fin de la première demie. Les Couguars n'en finissaient pas de nous jeter par terre, et nous n'en finissions pas de crier « **Hé !** ». M. Stern s'en aperçut à quelques reprises et leur demanda de jouer plus proprement. Une fois, nous avons eu droit à un tir de pénalité, mais Victor manqua son coup. Puis les Couguars marquèrent un deuxième point. Et ils faillirent bien en compter un troisième, mais là, par une chance incroyable, le tir de Mary fonça droit sur Dylan et rebondit vers Nick, qui botta au hasard, mais exactement dans la bonne direction. Volant comme s'il avait des ailes, le ballon descendit en zone adverse, rasant la tête des Couguars au passage. Tous le suivaient des yeux avec incrédulité, comme s'ils s'attendaient à voir autre chose qu'un ballon de soccer voler ainsi dans les airs. Un cochon, peut-être, ou une cathédrale. Tout le monde avait donc les yeux rivés au ciel, sauf Miranda qui, elle, avait pris ses jambes à son cou dès que le ballon avait quitté le pied à crampons de Nick. Lorsqu'il fit deux ou trois rebonds et commença à rouler (le ballon, pas le pied de Nick, qui demeurait fixé à sa jambe), Miranda se trouva la plus proche du ballon à part Mary. Celle-ci, voyant arriver Miranda, tendit le pied en avant pour la faire trébucher, mais Miranda l'enjamba comme une gazelle et, prenant possession du ballon, s'échappa vers le but des Couguars. Quelques secondes plus tard, le ballon était dans le filet, et Miranda revenait vers nous en joggant.

Encore une fois, le temps se déroulait au ralenti. Je surpris la rage qui assombrissait le visage habituellement imperturbable de Prudence. Je vis M. Stern lever la main pour siffler la mi-temps. Je vis Gary plaquer Nick au sol. Puis je remarquai que mon lacet était dénoué. Fichus crampons ! Je me penchai pour l'attacher… et c'est sans doute à ce moment que l'incident se produisit. J'entendis un cri de douleur et les autres Commodores qui protestaient tous ensemble :

— **Hé !**

Je levai les yeux et aperçus Miranda qui roulait au sol en tenant sa cheville à deux mains. Prudence était debout près d'elle, mains sur les hanches.

— Vous avez vu ça, monsieur ? s'indigna Victor en courant vers M. Stern. Vous avez vu ça, monsieur ? Prudence vient de lui donner un coup de pied. En pleine cheville.

M. Stern s'amena, l'air affairé, et lança un coup de sifflet.

— Qu'est-ce qui se passe, ici ?

J'étais déjà auprès de Miranda.

— Peux-tu te relever ? lui demandai-je en l'aidant à se remettre sur ses pieds.

Elle fit un pas et faillit aussitôt retomber.

— Foulure, je pense, dit-elle. Rien de trop grave.

— Qu'est-ce qui est arrivé ? lui demanda M. Stern.

— Je ne sais pas, monsieur. Quelque chose a frappé ma cheville et je suis tombée.

Une fraction de seconde, Prudence parut surprise. Elle ne s'attendait pas à cette réponse de Miranda. Mary s'esclaffa. Gary et Larry se regardèrent en ricanant.

— Prudence lui a donné un coup de pied ! répétait Victor, doigt pointé.

Nick confirma de la tête avec une telle conviction que ses lunettes lui tombèrent sur le bout du nez. Mlle Scathely avait quitté la ligne de touche pour venir aux nouvelles. M. Stern s'adressa à elle :

— Vous, est-ce que vous avez vu ce qui s'est passé ?

— Non, il y avait trop de monde dans mon champ de vision.

M. Stern décocha son regard sévère de prof de gym.

— Eh bien, Prudence ? Qu'est-ce qui est arrivé ?

Celle-ci le dévisageait comme s'il était un moustique et elle, une bombe d'insecticide.

— Elle est tombée.

— Sa fichue équipe n'a rien fait d'autre que tomber, depuis le début du fichu match, ajouta Mary (sauf qu'elle employa un mot plus vulgaire que *fichu*).

Elle rit à s'en étouffer, après quoi elle cracha vigoureusement sur le gazon.

— Surveille ton langage, Mary.

Les profs adorent s'accrocher à des problèmes bien concrets.

— Ouais, ouais, fit Mary en s'éloignant.

Miranda traversa le terrain à cloche-pied. Je trottinais derrière elle. Elle fulminait, non pas contre Prudence, mais contre elle-même.

— J'aurais dû deviner qu'elle tenterait quelque chose du genre, grognait-elle. Jamais je n'aurais dû laisser approcher cette… cette femelle du taureau aussi près de moi.

Miranda ne profère jamais de gros mots, voyez-vous.

— Pourquoi ne dis-tu pas à Stern qu'elle t'a donné un coup de pied à la cheville ? Il te croira, et Prudence sera expulsée du match. On lui donnera – comment est-ce qu'on appelle ça ? – un drapeau rouge…

— Un carton rouge, corrigea-t-elle en souriant, mais son sourire était tordu, comme sa cheville.

— Qu'importe le nom. Fais-le donc.

— Oh ! Alan ! Qu'est-ce que ça donnerait ? (Miranda m'aime bien, mais elle n'est pas toujours d'accord avec mes suggestions.) Je ne vais pas aller brailler auprès du prof parce qu'une fille me fait un coup bas. La meilleure chose à faire, c'est de la battre. C'est ça qu'elle ne peut pas blairer. Gagnons le match, Alan.

Le soleil parut un instant, et la journée devint presque tiède. Les autres Commodores tournaient en rond, la mort dans l'âme. De temps en temps, ils jetaient un coup d'œil dans notre direction.

M. Stern jouait du sifflet, prêt à commencer la seconde demie.

— Comment te sens-tu ? demandai-je. Sérieusement. Es-tu seulement capable de jouer ?

— Pas trop, à vrai dire. Je peux frapper le ballon, mais je ne serai pas capable de le manier en courant très vite.

— Et tu penses qu'on devrait essayer de gagner le match contre les Couguars sans toi ? C'est ça, ton meilleur plan ?

Elle fit oui de la tête d'un air abattu. Je me demandais ce que pourrait être le plan B. Sans Miranda, nous avions autant de chances de vaincre les Couguars qu'une fourmi d'apprendre la danse à claquettes.

Le sifflet sonna le début de la seconde demie. Au tour des Couguars d'assurer la mise en jeu. Mary décocha un petit tir vers Larry à travers le cercle central.

C'est alors qu'à brûle-pourpoint un autre joueur manifesta sa présence.

— *Attention, Larry !* hurla Norbert à tue-tête.

Chapitre 7

À moi de jouer !

Tombant dans le panneau, Larry regarda derrière son épaule, fit un faux pas et botta le ballon vers moi par inadvertance. Sans trop comprendre ce qui se passait, je filai vers l'avant du terrain, tout en martelant le ballon à petits coups de pied pour qu'il reste à bonne distance devant moi, mais toujours à ma portée.

— *Voilà ce qui s'appelle dribbler !* s'écria Norbert, tout excité. *Sur Jupiter, on s'entraîne à ça tout le temps.*

— J'ai vu des jeunes s'exercer, comme ça, dans des publicités européennes à la télé, soufflai-je. En Italie, je pense.

— *Alors l'Italie doit ressembler à Jupiter.*

— Ça m'étonnerait. Remarque, je n'y suis jamais allé.

Des bruits de pas tonnaient derrière moi.

— Je vais te tuer, Dingwall ! menaça Gary.

— *Comment ? Tu vas nous asphyxier avec ton haleine ?*

— La ferme, Norbert ! Ce type-là est cruel, et pas mal plus gros que moi.

— Qui a dit ça ? C'est toi, Dingwall ?

— Non, haletai-je. Ce n'était pas moi. Moi, je trouve ton haleine super.

Quel poltron je fais ! Et, bien sûr, la poltronnerie ne paie jamais. Gary prit ma réponse pour un sarcasme et poussa un rugissement de rage. Ses pas se rapprochaient de plus en plus. Saisi de panique, je bottai le ballon. J'essayais de viser tout droit en zone adverse, mais le côté de mon pied le toucha accidentellement, et le ballon partit latéralement. Je détalai de toutes mes forces vers la ligne de touche la plus proche, parce que Mlle Scathely s'y trouvait. Notre enseignante lançait des encouragements frénétiques. Jetant un œil par-dessus mon épaule, je m'aperçus que ce n'était plus moi que Gary poursuivait. Il courait maintenant après Nick, qui s'apprêtait à tirer dans le filet. Sans que je sache trop comment, mon coup de pied erratique s'était transformé en passe formidable.

La course et les hurlements effrénés avaient épuisé Gary. Il lui restait juste assez d'énergie pour plaquer Nick par-derrière. M. Stern siffla une infraction et Nick eut droit à un coup franc. Vous savez ce qu'est un coup franc, quand les joueurs de l'équipe adverse constituent une muraille humaine, à une distance déterminée de l'endroit d'où le ballon est frappé, pour bloquer le tir. J'avoue que lorsque Mary, Gary, Larry et Prudence se sont enchaînés les uns aux autres, bras dessus bras dessous, épaule contre épaule contre épaule contre tête (Prudence est pas mal plus petite que les autres), je ne voyais pas comment Nick pouvait faire une percée à travers eux. D'autant plus qu'ils gardaient leurs gros yeux de brutes rivés sur lui. C'est un nerveux et un sensible, Nick – un artiste. Les extraterrestres qu'il dessine ont beau posséder une technologie supérieure, ils ont l'air drôlement effrayés.

Il redressa ses lunettes, prit une profonde inspiration et s'élança vers le ballon.

— *Regarde, Gary, y a de l'argent sur l'herbe. Un dollar, je pense. Juste à côté de ton pied!* cria Norbert d'un ton surexcité.

Gary n'arrivait pas à déterminer d'où venait la voix. Il se pencha, et, parce que ses bras étaient toujours enchaînés à ceux de Larry et de Mary, eux aussi furent forcés de se pencher. Nick décocha son tir au moment même où leurs têtes ployaient. Le ballon les survola comme un cheval qui franchit un obstacle difficile. Le gardien, Barry, était distrait, lui aussi. Il fixait le pied de Gary. Le ballon le frôla doucement et roula dans le filet.

2 à 2.

— Beau tir, Nick, dit Miranda. Maintenant, éloignez-vous, tout le monde.

Pour éviter d'attiser la fureur des Couguars, elle boitilla jusqu'à l'extrémité de notre camp. Nick la suivit, l'air éberlué et vaguement craintif. Victor lui tapota le dos.

Liés par les épaules et accroupis au sol, les Couguars tenaient un caucus.

— *Hé ! vous autres, vous ressemblez à un bracelet à breloques !*

— Norbert, du calme ! marmottai-je entre mes dents. Tu vas les mettre en colère !

— *C'est justement ça, l'idée. S'ils sont en colère, ils vont mal jouer.*

— C'est comme ça que ça fonctionne sur Jupiter ?

Je courais aussi vite que je pouvais pour revenir à notre camp. L'union fait la force. J'entendais au loin les Couguars qui me maudissaient.

— *En fait, tout le monde joue gentiment sur Jupiter.*

Je me fermai la trappe et tentai de me concentrer sur le soccer. Mais j'avais beau garder la bouche close, je ne pouvais pas faire taire Norbert. Il n'arrêtait pas de ridiculiser les Couguars : leurs cheveux, leurs vêtements, et même leurs boucles d'oreilles et leurs tatouages.

— *Et qui c'est censé être, celui-là ?* demanda-t-il à Gary, qui avait un aigle sur l'avant-bras, juste sous le coude.

En fait, ce tatouage ne paraît pas si mal, à mi-chemin entre super et affreux.

— Il ma coûté deux cents dollars, se vantait Gary, et c'était bien possible.

— *Il ressemble à Donald le canard!* cria Norbert.

Victor me saisit le bras.

— Tais-toi, chuchota-t-il. Arrête d'insulter les Couguars. Ils vont te tuer!

— Ce n'est pas moi. C'est Norbert.

Victor me regarda comme si je divaguais. Il avait peut-être raison, mais je reçus une œillade admirative de Miranda. Une œillade qui semblait signifier : « Mon héros ! Mon prince charmant ! Mon champion ! » Elle me passa le ballon en criant :

— Allez, Couic-couic, frappe-moi ça dans la zone des Couguars !

Ouais, « Mon Couic-couic ! » serait plus juste. Enfin... Je mis toute mon énergie dans ce tir.

Les Couguars ne savaient que penser. Ils étaient certains que j'étais celui qui les insultait – voilà d'ailleurs ce qui me terrorisait, et pourquoi je ne m'éloignais guère de l'arbitre –, mais enfin, quand Norbert parle, mes lèvres ne bougent pas. C'est comme si j'étais ventriloque, sauf que, bien sûr, ce n'est pas moi qui ai le contrôle. Je ne peux pas faire dire à Norbert ce que je veux. On serait plus près de la vérité si on disait que la marionnette, dans ce cas-là, c'est moi.

— Tu ne perds rien pour attendre, Dingwall, menaça Mary. Je te retrouverai bien après l'école !

Frémissant de terreur, je voulus m'excuser et lui expliquer que ce n'était pas ma faute, mais Norbert émit un sifflement.

— *Je porterai un œillet,* dit-il. *Rappelle-toi seulement que je n'embrasse pas au premier rendez-vous.*

Même Larry rigola en entendant ça. Comme je disais, il n'est pas une vraie brute, lui. Je jetai à Miranda un regard désespéré.

— C'est comme ça qu'il faut lui parler, Couic-couic ! lança-t-elle en riant.

Le match se dégradait – beaucoup de va-et-vient du ballon dans la partie médiane. Ça ne me dérangeait pas, parce que c'était facile, ainsi, de me tenir près de M. Stern. De temps à autre, nous réussissions à amener le ballon jusqu'à Miranda, qui le bottait alors à bonne distance, et tous les Couguars se mettaient à le pourchasser.

M. Stern émit un coup de sifflet.

— Dernière minute de jeu ! annonça-t-il en regardant sa montre.

Je me faufilai hors de la portée de Prudence, et ce n'était pas la première fois que j'avais eu à le faire. Elle me collait aux crampons depuis le début de la deuxième demie, un vrai chien de chasse talonnant un prisonnier en cavale. Les insultes de Norbert ébranlaient son équipe et la dérangeaient, elle. Le plan de mon extraterrestre fonctionnait : les Couguars jouaient tout croche. Moi, j'avais peur : je savais que Prudence me rattraperait au détour. Pour l'instant, j'essayais de la garder, ainsi que M. Stern, dans mon champ de vision. Elle essaya bien de me plaquer sur mon angle mort pendant que M. Stern regardait sa montre, mais je m'esquivai juste à temps.

Nick, lui, se tenait immobile, observant Gary et le ballon qui s'approchaient de plus en plus. Un oiseau observant un serpent. Je courus à sa rescousse.

— *Des chatons, voilà ce que vous êtes !* cria Norbert à pleins poumons. *Des Couguars, vous autres ! ? Pfft ! Vous n'êtes rien que des petits minous !*

Gary entra dans une colère telle qu'il cessa de dribbler.

— Eh bien, toi, tu n'es pas un Commodore, répliqua-t-il, tu n'es rien qu'un…

Mais il dut s'interrompre, faute de trouver une insulte appropriée. M. Stern en rit tellement que son sifflet lui tomba du bec. Un bon nom, les Commodores !

Pendant ce temps, Nick s'était élancé en avant. Il intercepta le ballon et le botta vers la zone des Couguars. Gary poussa Nick par terre, et tout le monde partit à la poursuite du ballon. Mais devinez donc qui l'atteignit en premier ! Ce n'est pas moi, non. Ni Gary. Ni Prudence… qui me collait aux fesses. Pas Nick, bien sûr, puisqu'il était par terre. Et pas Mary non plus… qui arriva bonne deuxième. La première personne à atteindre le ballon fut Miranda. Elle avait dû commencer à courir avant même que Nick l'ait frappé. On appelle ça de l'anticipation – une qualité très utile. Le ballon était dans le coin. Avec sa cheville endolorie, Miranda ne pouvait pas dribbler, alors, après avoir attendu que le reste de l'équipe soit rendue dans la zone adverse, elle exécuta un magnifique botté juste devant le filet – une passe lobée en hauteur et bien centrée.

J'aurais dû voir venir le danger, mais j'étais trop pris dans le feu de l'action avec le pointage égal, la dernière minute de jeu, le ballon qui retombait, et nous tous qui jouions du coude en nous bousculant devant le filet des Couguars. Barry, le gardien, s'apprêtait à sauter pour attraper le ballon avant qu'il touche le sol. Je me trouvais à quelques mètres de là, juste devant le but. Je ne voyais pas comment je pourrais prendre le contrôle du ballon, cependant, parce que Gary, qui me dépasse de quelque trente centimètres, était entre moi et le filet. Je regardai alentour, à la recherche d'un appui. Miranda n'avait pas encore quitté le coin, se déplaçant à cloche-pied. Victor était par terre, renversé par Mary. Nick n'était pas encore arrivé. C'était donc à moi de jouer, et à moi seul. Je m'accroupis, le derrière protubérant, prêt à bondir dès que le ballon toucherait le sol, mais voilà que, tout à coup, je me rappelai que Prudence se trouvait là. Derrière moi.

La vulnérabilité, parlons-en. Vous vous rappelez ces films sur la Seconde Guerre mondiale dans l'Atlantique Nord ? Eh bien, à ce moment-là, j'avais l'impression d'être un navire rempli de munitions talonné par un sous-marin allemand. Sur ces entrefaites, Prudence lança sa torpille. Wow ! Animée de toute la force de cette fille-là, sa chaussure m'atteignit droit dans… dans la poupe, disons.

Explosion ! La première chose que j'ai sue, je volais dans les airs – haut, très haut par-dessus la tête de Larry –, si bien que lorsque le ballon finit par retomber, il m'a frappé, moi.

— *Non, c'est moi qu'il a frappé.*

Norbert n'a pas tort. C'est lui que le ballon avait atteint.

— *Ça faisait mal ! J'ai été obligé d'aller dans la pièce arrière me mettre une compresse froide.*

Après avoir ébranlé Norbert, le ballon ricocha vers le poteau du but pour aller toucher le fond du filet, au moment précis où M. Stern sifflait la fin du match.

3 à 2.

À nous le championnat des *intra-muros* ! À l'Assemblée générale des élèves, le lendemain, nous recevrions un trophée et des rubans individuels. Nick et Victor me tambourinaient dans le dos. Mlle Scathely sautait de joie sur la ligne de touche. Mais le clou de la victoire, même si cela me gêna un peu, ce fut lorsque Miranda boitilla vers moi et m'embrassa devant tout le monde.

— *Pardon ! C'est moi qu'elle a embrassé.*

J'avais le derrière en compote, mais ça en valait la peine.

Les Couguars s'éloignaient, la mine déconfite, pour panser leurs blessures… en fait pour aller chercher d'autre gomme à mâcher avant la cloche. L'heure du lunch tirait à sa fin. On avait juste le temps de se changer. J'avais froid et j'étais sale, et je ne me sentais pas très rassuré sur ce qui m'attendait après la classe.

Vous vous souvenez du premier mauvais coup que vous avez fait en toute connaissance de cause : rentrer à la maison trop tard, par exprès, regarder un film qu'on vous avait interdit, feuilleter un magazine défendu, dépenser l'argent du lait pour acheter des bonbons, fumer une cigarette, lâcher un gros mot ? Et là, vous souvenez-vous d'avoir retenu votre souffle en attendant que le ciel vous tombe sur la tête ?

Eh bien, c'est comme ça que je me sentais. J'avais insulté les Couguars… en fait, c'était

Norbert, mais eux ne le savaient pas. À leurs yeux, le coupable, c'était moi ! C'était donc moi qu'ils allaient anéantir.

L'après-midi se déroula comme en un rêve. Mlle Scathely offrit des bonbons à tous les membres de l'équipe. Elle rayonnait chaque fois qu'elle regardait l'un d'entre nous.

Par contre, le prof de maths, M. Duchesne, ne rayonnait pas, lui. Et au lieu de bonbons, c'étaient des retenues qu'il offrait.

— Exprimez le nombre quarante-huit en base six, Dingwall, me dit-il.

Je le regardai. Dieu sait à quoi je pensais.

— Pourquoi est-ce que je voudrais faire ça, monsieur ? répliquai-je, et la classe gloussa.

— Parce que je vous le demande, Dingwall, rétorqua-t-il, fâché.

Victor occupe le pupitre derrière le mien au cours de maths.

— 120, me souffla-t-il.

Victor est fort en maths. Il est tout à fait possible que sa réponse ait été la bonne. Ça me semblait ridicule, mais, de toute façon, bien des choses, en maths, me paraissent ridicules. Je ne comprenais pas les bases, je ne comprenais pas que « 10 » représente parfois dix et d'autres fois six, ou encore huit ou douze.

— Est-ce que ça vous aiderait si je vous disais que « 100 » représente trente-six, Dingwall ?

— C'est vrai ?

— Dans ce cas précis, oui.

Je me sentais comme Alice au pays des merveilles.

— Alors, je vous réponds, monsieur, que ça ne m'aide pas du tout.

— Allons, Dingwall. Vous n'avez pas l'habitude de nous faire perdre notre temps avec des platitudes. Comprenez-vous que trente-six s'exprime par « 100 » ?

— Mais, monsieur, il y a quelques minutes, vous nous avez montré que soixante-quatre s'exprimait par « 100 ».

— C'est exact.

— Et avant ça, que neuf s'exprimait par « 100 ».

— Oui, fit-il.

Il avait son sourire condescendant de prof de maths, reflétant plus de pitié que de colère. Ce n'était pas ma faute si j'étais stupide.

— Beaucoup de nombres peuvent s'exprimer par « 100 », Dingwall. En base deux, quatre s'exprime par « 100 ».

— Oh.

Non mais, sur quoi pouvait-on compter, enfin ? Où étaient les constantes dans la vie ? Qui a dit que les chiffres ne pouvaient mentir ? Voilà un nombre : « 100 », un concept simple comme bonjour, facile à comprendre – un dollar, c'est cent cents; un sprint, c'est cent mètres –, et voilà que ce simple nombre devient aussi glissant qu'un morceau de savon. Il se répand partout. Et juste comme on s'habitue à son changement d'identité – voilà ! c'est soixante-quatre –, paf ! on découvre qu'en fait c'est trente-six. Ou bien quatre-vingt-un. Ou quatre. Je me sentais trahi par une chose en laquelle j'avais mis ma confiance. Ça me rappelait le jour où j'étais rentré à la maison pour me rendre compte que papa ne vivait plus avec nous. Quelque chose que j'avais cru permanent, quelque chose que je n'avais jamais vraiment considéré comme présent était tout à coup absent. Et ma vie avait changé pour toujours.

Mon père... le nombre « 100 »... Ce serait quoi, la prochaine fois ?

— Donc, en base deux, un dollar vaut en fait quatre cents ? Et Donovan Bailey court le quatre mètres ? Est-ce bien cela, monsieur ?

La classe gloussa de nouveau.

— Et la citation célèbre de je-ne-me-souviens-plus-qui serait désormais : *quatre fois sur le métier remettez votre ouvrage* ? Non, franchement, monsieur, c'est trop débile.

Et je me pris la tête à deux mains.

— Tu l'as, l'affaire, Couic-couic ! cria Nick, quelque part derrière moi.

Un fou rire agita la classe. Je me tournai pour fusiller Nick du regard. Ce n'était pas Norbert qui parlait, là, c'était moi.

— Vous resterez après l'école, ce soir, Dingwall, dit M. Duchesne. Pour « 100 » minutes... en base cinq. Voyez si vous pouvez trouver combien de temps ça fait.

M. Stern me serra la main pendant le cours de gym.

— Je suis tellement content que vous ayez gagné, aujourd'hui, les gars, nous dit-il, à Victor, Nick, Dylan et moi. Une personnalité de marque sera présente à l'Assemblée générale, demain. Quelqu'un qui a fréquenté notre école, sans doute la personne la plus célèbre à avoir étudié ici. Nous l'inviterons à vous remettre le trophée. Je n'aurais pas voulu que cette personne s'imagine que les Couguars représentent les meilleurs éléments que notre école a à offrir aujourd'hui.

— Non, monsieur, dis-je.

Je me demandais bien quelle personne célèbre avait pu fréquenter notre école – ce n'était pas quelqu'un dont j'avais entendu parler, en tout cas. J'en discutai avec Victor après la dernière cloche.

— C'est qui, la personnalité de marque qui sera à l'Assemblée générale ?

Il n'en savait rien.

— Mon gars, tu vas vraiment y goûter avec les Couguars, répondit-il en secouant la tête. Tu ne vivras même pas jusqu'à l'Assemblée.

Victor et moi sommes voisins de casiers. Mon ami était en train de ranger ses livres sur sa tablette : les plus gros dessous, les plus petits dessus. Une belle petite pyramide. Il range toujours ses livres bien proprement, comme ça. Moi, je les lance n'importe comment. Les plus pesants se retrouvent habituellement au fond.

— Enfin, qui, parmi les anciens élèves, est le plus célèbre ? insistai-je. Quelle personnalité de marque sera là demain ?

— Aucune idée ! D'abord, c'est quoi, une personnalité de marque ?

Ce cher vieux Victor ! Il en sait tellement sur certaines choses, et à peu près rien sur tout le reste. Questionnez-le sur les ordinateurs, et il vous expliquera tout, en long et en large. Ou sur le sexe – je me demande des fois s'il n'en invente pas, mais il a drôlement l'air de s'y connaître.

— Une personnalité de marque, le mot le dit, c'est quelqu'un de remarquable, qui nous fera honneur en assistant à l'Assemblée générale, lui dis-je. Et, en l'occurrence, il s'agit d'une personne qui a fait ses études ici, à notre école.

Je lançai mes livres dans mon casier, sauf mon manuel de maths, et refermai la porte. Victor avait du mal à attacher son blouson. Il porte toujours des vêtements étriqués. Ses boutons de chemise travaillent pas mal plus que les miens. Quand je lui demande pourquoi il ne prend pas une taille plus grande, il répond :

— Pourquoi donc ? Je ne suis pas si gros que ça. La taille moyenne me va encore.

La vérité, c'est que la taille moyenne le fait seulement paraître plus gros qu'il n'est vraiment. Bizarre !

— Mon père a étudié ici, dit Victor. Il y a des années de ça.

— Victor, ton père est le gérant du supermarché de la rue Division. Je te parle de quelqu'un de célèbre. Quelqu'un que même toi et moi connaissons.

Il réfléchit pendant une minute.

— Mais, Alan, toi et moi, nous connaissons mon père.

Victor ne pigeait toujours pas.

— Il faut que ce soit quelqu'un d'encore plus célèbre que ton père, dis-je. Quelqu'un qui passe au téléjournal, le soir. Le premier ministre, tiens, ou bien Shania Twain, quelqu'un comme ça.

Bon, ça ne serait probablement pas

quelqu'un comme ça, ou alors nous en aurions entendu parler, mais enfin…

— Je ne savais pas que Shania Twain avait étudié ici, dit Victor. Je pensais qu'elle venait d'une ville du nord.

— *Shania Twain, la chanteuse country ?*

Je fermai les yeux et pris une grande inspiration.

— Oublie donc ça, Vic, dis-je, découragé.

— *Shania Twain va venir ici, à cette école ?*

— Hé ! cria Victor à un élève qui passait dans le corridor. Hé ! Devine qui va venir à l'Assemblée générale, demain !

La cloche sonnait. Je devais aller à ma retenue.

— Dis, Victor, c'est combien, « 100 », en base cinq ? demandai-je d'une voix pressante.

Chapitre 8

Un dossier, ça ne riposte pas

À l'heure où je pus enfin sortir, après ma retenue, les Couguars avaient déjà quitté la cour d'école. Je fouillai les alentours des yeux, mais ne vis aucun signe de leur présence. Habituellement, ils laissaient des graffitis ou des chiques de gomme fraîche pour qu'on ne risque pas de les oublier. Malgré tout, je rentrai chez moi par le chemin le plus long. Le jour était gris et froid. J'aurais gagné du temps en prenant la rue King, comme je le faisais d'habitude, mais je ne voulais pas risquer une rencontre avec Prudence et Gary. Je devrais les affronter tôt ou tard, mais j'estimais que, si je repoussais cette rencontre assez loin, leur colère se calmerait un peu. Peut-être me laisseraient-ils la vie sauve…

Pour faire échec au vent chargé de poussière, je marchais la tête basse et les yeux bien fermés. Norbert éternua, puis s'excusa.

— Ça va, lui dis-je.

Je n'étais pas trop content de lui. Tout ça était sa faute. C'était à cause de lui si j'étais dans le pétrin.

— *Je n'y comprends rien,* dit-il après un moment.

— Quoi donc ?

— *Tout le monde t'appelle Couic-couic, et je ne vois pas pourquoi. Ta voix n'est pas du tout grinçante.*

— Ce n'est pas tout le monde qui m'appelle comme ça, protestai-je avec véhémence. Il y en a quelques-uns qui ont passé des remarques, d'accord, mais, pour ton information, c'est *toi* qu'ils appellent Couic-couic, pas moi.

— *Pourquoi m'appelleraient-ils comme ça, moi ?* fit-il, manifestement abasourdi par cette révélation.

— À cause de ta voix.

— *Mais il n'y a rien de grinçant dans ma voix. Même que, sur Jupiter, on dit que ma voix est profonde et résonante.*

Que répondre à cela ? Je restai muet.

— *Et, si je ne me trompe pas, Miranda a un petit faible pour moi.*

— Pour toi ?

— *Elle m'a embrassé, n'est-ce pas ? Devant toute l'équipe. Oui, je pense qu'elle a un petit faible pour moi, Couic-couic.*

Je poussai un soupir.

Un gros orage se déchaîna, ce soir-là. Debout devant la fenêtre de la cuisine, je regardais la pluie dégoutter de notre corde à linge en écoutant gronder le tonnerre. Ma mère parlait au téléphone. Les soirées ont tendance à être plutôt tristounettes, chez nous. Je n'ai ni frères ni sœurs, et maman passe beaucoup de temps à potasser ses dossiers.

Je me servis une assiettée de biscuits et un verre de lait pour les accompagner. « Des biscuits et du lait rendent l'estomac doux comme de la soie », répétait toujours mon père. Bien sûr, il disait la même chose d'un sandwich au fromage fondant et du lait, ou d'une salade de chou et du lait ; de tout ce qu'il mangeait, en fait.

Maman raccrocha et se remit à travailler.

— Est-ce que tu participais aux sports *intra-muros* quand tu étais à l'école ? lui demandai-je.

Elle ne répondit pas. J'enchaînai :

— Je me demande de quoi auront l'air les rubans du championnat. Ils sont parfois bleus, parfois dorés. J'espère qu'ils seront dorés.

Maman émit un petit bruit pour m'indiquer qu'elle avait bien entendu, mais qu'elle ne m'écoutait que d'une oreille distraite. La table de cuisine était jonchée de dossiers. Je les déplaçai afin de dégager un espace pour l'assiette de biscuits. Sans lever les yeux, elle me pria de faire plus attention.

— Ce ne sont que des dossiers, dis-je.

Elle eut un haut-le-corps. Là, j'avais obtenu son attention. Lentement, en pesant bien ses mots et d'un ton où perçait la colère, elle rectifia :

— Ce ne sont pas des dossiers – ce sont des êtres humains. Ce n'est pas du papier, mais de la chair et du sang. Chacun de ces cas est une personne réelle qui vit, qui respire et qui a des problèmes. Que je ne t'entende plus jamais dire que ce sont des « dossiers ». Tu es tellement... insensible !

Insensible ! C'est son gros mot à elle !

J'aurais voulu rétorquer : « Et moi, dans tout ça ? Je suis un être humain, moi aussi. » Mais je ne pouvais pas. J'avais peur... peur que ces personnes en carton et en papier qui trônaient sur la table comptent plus que moi à ses yeux.

Dans un sens, c'était plus facile de traiter avec eux, bien sûr. Ils ne ripostaient pas, eux. Ils ne répandaient pas de miettes de biscuits et n'oubliaient pas de faire leur lit. Ils ne rentraient pas trop tard le soir et ne disaient pas de gros mots. C'étaient des personnes vivantes, qui respiraient bel et bien, mais elles étaient terriblement tranquilles et ne prenaient pas trop de place. Et quand on s'en fatiguait, on pouvait les replier et les ranger.

Je terminai ma collation en silence, puis montai à ma chambre. La pluie tombait de plus belle, et le vent se levait. Je voyais les cèdres osciller en tous sens de l'autre côté du chemin. Il y avait des moutons sur les flaques d'eau. Un éclair zébra soudain le firmament nocturne, et le tonnerre éclata, tout près. Je frissonnai.

— *Ça me rappelle mon chez-moi,* soupira Norbert.

— La pluie ?

— *Non, le tonnerre. Sur Jupiter, il tonne tout le temps.*

— Je voudrais en savoir plus sur Jupiter. Est-ce que tu t'en ennuies ?

— *Oh oui !*

Il demeura silencieux pendant un moment. Je me demandais comment je me sentirais si j'étais à six cent cinquante millions de kilomètres de chez moi.

— *C'est aux odeurs de chez nous que je pense le plus souvent. De tous les sens, c'est le nez qui a la mémoire la plus forte. Sur Jupiter, il y a des fleurs partout, et des boutiques où on vend du fromage. Ahh !*

J'éprouvais des sentiments mitigés envers le fromage.

— Une senteur qui me plaît bien, c'est celle du chlore, lui dis-je. Une senteur de piscine.

— *Ah oui, le chlore sent très bon. Et un feu qui brûle dans un foyer. L'odeur du bois de pommier est agréable.*

Norbert avait raison. Les odeurs s'impriment très fortement dans la mémoire.

— C'est pour ça que tu as décidé de t'installer dans mon nez ? demandai-je. Pour être proche des odeurs ?

— *Je suis ici parce que je m'y sens à mon aise. Et c'est un endroit formidable pour moi. Jupiter est une grosse planète, mais c'est bondé. Ici, je n'ai généralement pas besoin de me préoccuper des intrusions. Aïe !*

Je retirai mon doigt en vitesse. Je ne m'étais même pas rendu compte de ce que je faisais.

— Désolé.

— *Quelle autre senteur aimes-tu ?*

Les yeux fermés, je laissai venir les souvenirs.

— Les oranges à Noël, dis-je. Et le gazon des matins d'été.

— *Et le bacon, ça te plaît ?*

— Oui, pas mal. Un mélange de sucré et de fumé…

Il y avait longtemps que nous n'en avions mangé. Du temps où papa était dans les parages, il y en avait plus souvent au menu. Selon maman, c'est trop salissant et guère nutritif.

— Les croustilles à saveur de bacon ont également bon goût.

— *Celles à la crème sure et à l'oignon aussi. Miamm.*

Nous avions eu cette conversation à plusieurs reprises.

— Tu te souviens de ce vieux bouquin que j'avais ouvert à la bibliothèque – ce gros atlas avec de drôles d'illustrations à l'intérieur des cartes géographiques ? J'aimais la senteur de poussière un peu piquante qui s'en dégageait, comme une odeur de secret.

— *Ou le terrain de la foire d'automne ? Tu te rappelles ? De la paille, des bonbons, de la graisse et bien du monde : c'était un arôme d'excitation.*

— Ou le premier jour où il fait doux après des mois d'hiver interminables. Le jour où on enlève enfin son gros manteau pour sentir le soleil dans son dos. Et toutes les pousses qui lèvent dans la terre froide et mouillée... comme le parfum de l'espoir.

— *Du pain chaud, fraîchement sorti du four.*

— Des draps séchés dehors sur la corde à linge.

— *Ou le parfum de ta maman, quand elle t'embrasse pour te souhaiter bonne nuit. Ses cheveux, et peut-être la poudre sur son visage, et la senteur de sa joue contre la tienne.*

La senteur de l'amour. J'ai hoché la tête sans rien dire.

Norbert aimait parler de Jupiter, mais ça lui donnait le mal du pays.

— Pourquoi ne retournes-tu pas chez toi, alors ? lui demandai-je.

Il me répondit qu'il le ferait, un jour. C'est avec regret qu'il quitterait le logement de mon nez, disait-il, mais ses parents lui manquaient. Je lui parlai de mes parents, moi aussi : je lui avouai à quel point ils étaient mêlés et désenchantés, et le chagrin que ça me faisait qu'ils soient séparés. Je lui confiai qu'ils ne m'aimaient pas vraiment. Papa, surtout.

Qu'est-ce qui se passe avec les pères ? Ce sont eux qui s'en vont, alors quelle importance qu'ils vous aiment ou pas ? Vous ne les voyiez jamais quand ils vivaient à la maison, de toute façon, et vous ne les voyez pas davantage une fois qu'ils l'ont quittée. Je ne sais pas, mais ça ferait toute la différence au monde si mon père me disait qu'il m'aime. Une seule fois. Si vos parents sont séparés, vous comprendrez ce que je veux dire.

Pour maman, c'est différent. Elle aime tout le monde. Peut-être serait-ce agréable de l'entendre dire qu'elle me préfère à tous les autres... à son travail, en tout cas. Mais je n'ai aucun doute sur son amour pour moi. Peut-être parce qu'elle est là, jour après jour, à me dire de ranger ma chambre. Peut-être parce que les mères sont... eh bien, des mères. Mais mon père... est-ce que ça lui ferait mal de me serrer dans ses bras, une fois ? Une seule fois ? Et de me dire qu'il m'aime ? Ah ! et puis, bof !

L'orage redoubla d'intensité. Le ciel s'ouvrit comme une boîte de carton, déversant des trombes d'eau sur tout le paysage, tandis que le vent sifflait dans les fenêtres et gémissait autour de la cheminée.

— Écoute-moi cette tempête ! commenta maman lorsqu'elle vint me border dans mon lit. L'hiver est à nos portes, on dirait.

— Je suis content d'être à l'intérieur, lui avouai-je.

Elle m'embrassa, puis sortit en refermant derrière elle.

— *Ce n'est pas un temps pour mettre le nez dehors !* commenta Norbert.

Maman entrebâilla la porte et rentra la tête.

— Tu as dit quelque chose ? demanda-t-elle.

— Seulement bonne nuit.

— C'est ça, bonne nuit.

Chapitre 9

Lâche pas, Couic-couic !

Le lendemain fut une journée tranquille et lumineuse. Le sol était couvert de givre et, en descendant la rue pour aller chez Victor, j'avais l'impression de fouler de minuscules fragments de verre brisé. Sa mère vint ouvrir.

— Bien le bonjour, charmant jeune homme, dit-elle en me dédiant un sourire plus épanoui qu'à l'ordinaire. Victor est déjà parti. Son père l'a reconduit à l'école, ce matin.

— Oh ! fis-je.

Que se passait-il donc ? Victor détestait monter avec son père dans la fourgonnette du supermarché. Habituellement, il m'attendait.

— Bon, bien, j'y vais, alors, dis-je.

— Je te souhaite bien du plaisir à l'Assemblée générale, cet après-midi. Il paraît que c'est tout un numéro, cette fille-là. J'aurais presque le goût d'y aller, moi aussi.

Je me demandais de qui parlait Mme Grunewald. Je lui fis un signe de la main et partis.

Encore une fois, je fis le long détour pour me rendre à l'école, de sorte que j'arrivai avec très peu d'avance. La cour de récréation bourdonnait de commérages. Des élèves et des enseignants bavardaient par petits groupes, puis se séparaient pour en former de nouveaux.

— J'espère qu'elle va chanter *Don't Be Stupid.*

— J'ai entendu dire qu'elle allait essayer une nouvelle chanson.

— Qu'est-ce qu'elle va porter ?

— ... eu beau feuilleter les albums des élèves des années passées, je ne l'ai pas trouvée.

— Ce n'est peut-être pas son vrai nom.

De qui parlaient-ils donc ? Je m'informai auprès du groupe le plus proche de moi.

— Tu n'as pas appris la nouvelle ? Tu n'as pas entendu parler de l'invitée spéciale à l'Assemblée générale ?

— Je sais que c'est quelqu'un qui a déjà étudié ici, à notre école, dis-je. Mais je ne connais pas son identité.

— Eh bien, c'est...

La première cloche retentit : il fallait prendre les rangs. Mon informateur partit en courant sans terminer sa phrase. Je retrouvai Victor dans la file.

— Qu'est-ce qui t'est arrivé, ce matin ? lui demandai-je. Je suis passé chez toi, et ta mère m'a dit que tu étais déjà parti.

— Désolé, Alan. C'est seulement que... j'étais inquiet. Tu sais que les Couguars ont juré de te faire ravaler tous tes commentaires d'hier, pendant le match.

— Oh !

— Pourquoi as-tu fait ça, Alan ? Tu les as rendus tellement furieux. Prudence, surtout. Tu la connais... elle va te tuer. Et je... je ne voulais pas qu'elle pense que...

— Que tu es mon ami ? Au cas où elle te rachèverait, toi aussi ?

— Eh bien... oui, c'est ça.

— Oh !

— C'est seulement jusqu'à ce qu'elle te batte. Après ça, on recommencera à venir à l'école à pied tous les deux ensemble.

— Merci bien, Vic.

— À moins que tu ne puisses plus marcher. Dans ce cas-là, mon père nous reconduira dans la fourgonnette.

Je hochai la tête.

— Merci bien. Des plans pour qu'on sente les oignons !

Tout déconfit, il jeta un rapide coup d'œil aux camarades devant et derrière lui, puis vérifia subrepticement l'odeur de ses mains et de ses aisselles.

— C'est ça que je sens ? Pour vrai ?

Pauvre Victor !

— C'était juste une blague, assurai-je.

— Non, sérieux, ne fais pas de blague avec ça. Est-ce que je pue les oignons, oui ou non ?

Un enseignant nous avertit de prendre nos places dans la file. Laissant Victor à son reniflage, je le vis demander au gars derrière lui s'il sentait les oignons.

— Salut ! dit Miranda.

— Salut, lui répondis-je en me glissant derrière elle.

— Ce sera une Assemblée générale super ! dit-elle. Je suis tellement contente que nous ayons gagné le trophée *intra-muros* ! C'est elle qui va nous le remettre... elle va nous serrer la main. N'est-ce pas formidable ?

— Mais qui ? demandai-je. De qui est-ce qu'on parle ?

La cloche retentit de nouveau, indiquant que c'était l'heure d'entrer dans l'école. On se mit à avancer en se traînant les pieds. Je remarquai que Miranda ménageait encore sa cheville.

— Shania Twain ! dit-elle en se retournant. Formidable, pas vrai !

— *Super !* s'écria Norbert. *Tout simplement formidable !*

— Tu me parais enthousiaste, Couic-couic ! dit-elle en me coulant un sourire. Je suis contente que tu apprécies la musique country.

— Il y une partie de moi qui aime vraiment ça, dis-je. Quelque chose à l'intérieur de moi.

— Je ne le savais pas. Décidément, tu ne cesses de m'étonner. (Je ne répondis rien.) En tout cas, je pensais que Shania venait de Timmins. J'ignorais qu'elle avait étudié ici.

L'avant-midi se déroula sans histoire, à l'exception de cette vague de « countrymania » qui déferlait sur l'école. Norbert était aussi débile que les autres. J'avais beau lui affirmer que Shania Twain n'allait pas venir, il ne me croyait pas. Chaque fois qu'il entendait quelqu'un parler d'elle, d'ailleurs, il devenait de plus en plus convaincu qu'elle viendrait. Les propos du directeur pendant les annonces matinales ne firent rien pour rectifier les faits : « Ce sera un spectacle formidable, promit M. Omerod. J'espère que vous avez tous très hâte de rencontrer cette personne vraiment remarquable. »

Le cours de science, ce jour-là, portait sur la flore, c'est-à-dire sur les plantes. Quand il s'agit des animaux, on parle de la faune. Dans un cas comme dans l'autre, c'est plutôt barbant. Même Mlle Scathely semblait s'ennuyer. Elle arpentait la classe en nous invitant à penser à différentes espèces d'arbres. Elle nous demandait, par exemple :

— Y a-t-il un arbre dans votre cour ?

Au tableau, la liste d'arbres s'allongeait. Je ne sais pas à quoi je pensais quand elle m'a posé la question. Ma tête était comme vide tout à coup. Aucune espèce ne me venait à l'esprit. Pas une seule. Je regardai le tableau, à l'affût d'une piste, et deux mots me sautèrent aux yeux : orme rouge. C'était un orme rouge, dans la cour d'école, qui servait de point de ralliement aux brutes avant le début des cours ; ce qui me fit penser à Prudence – ses cheveux tressés, son visage sans sourire, son gilet et son pantalon assortis, et ses gros souliers. Les chaussures idéales pour donner de bons coups de pied, songeais-je.

— Alan, tu m'écoutes ? insista Mlle Scathely.

Tout autour de moi flottait une sorte de silence ennuyé : les autres se contrefichaient bien que je sois attentif ou pas. C'est alors que, constatant l'inanité de mon cerveau, Norbert se porta à ma rescousse.

— *Un arbre de Noël, peut-être ?*

Une légère agitation titilla la classe.

— Je ne pense pas que ce soit ce genre d'arbres dont nous parlons, euh, Alan, rectifia Mlle Scathely en souriant.

— *Il y en a tout plein sur Jupiter.*

— Allons, qu'est-ce que tu racontes ?

— *Ah ! les arbres de Jupiter ! Les effluves envoûtants des pins parasols ! La senteur poivrée des arbres de Noël, l'énergie vigoureuse des arbres à cames, la solidité inébranlable des chênes d'amitié, l'arôme piquant des pins d'épice. Et, dans chaque famille, une espèce unique qui s'épanouit avec le temps et ne cesse de grandir: l'arbre généalogique. Ah! il y a des jours où je regrette tellement d'avoir quitté ma planète.*

Il poussa un long soupir nostalgique.

Dans la classe maintenant réveillée, la plupart des élèves rigolaient. Une rougeur à la Dingwall me colorait les joues, mais je restais là, sans broncher. En fait, ça me plaisait bien de faire rire les autres. Sans même ouvrir la bouche, par-dessus le marché.

— Explique-nous donc ce que sont les pins d'épice, releva Mlle Scathely.

— *Ils sont affriolants! Il y en a en forme de biscuits, d'autres en forme de gâteaux; certains ressemblent même à des bonshommes. Miam! Le parfum qu'ils dégagent dans la brise de l'été...*

— Ah! Tu parles des *pains* d'épice, fit l'enseignante en riant.

— *N'est-ce pas ce que j'avais dit?*

Mlle Scathely ne fit aucun commentaire sur la voix de Norbert, qu'elle ne semblait même pas remarquer.

— Comme c'est intéressant! dit-elle en s'adossant contre son bureau. Imaginez seulement à quoi ressembleraient les chênes d'amitié, ou encore les pins d'épice, s'ils faisaient vraiment partie de la flore! Allez, je vous propose un jeu : essayons de trouver d'autres espèces d'arbres qu'on pourrait voir sur Jupiter. Quelqu'un a une idée ?

Après un moment, Miranda leva la main.

— Des saules dièse ?

Mlle Scathely hocha la tête avec un sourire approbateur.

— Oui, je vois une belle grande allée de saules dièse, avec une fanfare qui y défile au pas militaire. J'entends d'ici la musique tonitruante qu'on entendrait ! *Allegro fortissimo !*

La classe s'esclaffa.

— Quelqu'un d'autre ? demanda l'enseignante. Oh ! attendez ! Voici une devinette : je suis un arbre, et sur mes branches poussent des feuilles de calendrier. Qui suis-je ?

Trois ou quatre élèves lancèrent à l'unisson « Un *datier* ! », et Mlle Scathely éclata de rire.

Je ne pus m'empêcher de m'imaginer un *frêne étique* et de me demander de quoi il aurait l'air.

Toute joyeuse, l'enseignante se tourna vers le tableau et dessina un arbre auquel pendaient des récipients cylindriques de toutes dimensions.

— Alors, demanda-t-elle, qu'est-ce que nous avons ici ?

Comme elle n'obtenait pas de réponse, elle souligna à la craie les anses par lesquels les contenants étaient suspendus aux branches. J'avais beau me creuser la cervelle, je n'arrivais pas à trouver la clé de l'énigme.

— *Un arbris-seau !* s'écria alors Norbert d'un ton mélancolique.

— Exact ! confirma Mlle Scathely.

— *Oui, c'est tout à fait ça. Il y a tellement longtemps que je n'en ai vu ! Les arbris-seaux sont si jolis sur Jupiter ! Ils débordent de fleurs en or et en argent. Rien à voir les scies-près, dont il faut se méfier... avec leurs dents pointues et bien aiguisées qui cherchent toujours à s'approcher de nous.*

La classe était pliée en deux. Miranda se mit à applaudir, bientôt imitée par les autres élèves.

— Lâche pas, Couic-couic ! cria quelqu'un, au fond de la salle.

— Couic-couic ? s'étonna Mlle Scathely. Qui est-ce donc ?

Et tout le monde sauf moi – Norbert compris – cria mon nom.

— Eh bien, Couic-couic, me dit l'enseignante, selon ce que tu racontes, Jupiter semble être un endroit fort intéressant.

Chapitre 10

Un humour de directeur

Notre directeur, M. Omerod, se tenait devant le micro, la bouche fendue jusqu'aux oreilles.

— J'ai le grand plaisir de vous présenter le capitaine Sid Allinson, dit-il, et je vous demande à tous de l'accueillir chaleureusement, comme l'école secondaire Edgewood sait le faire.

Sur la scène, un homme de haute taille, le fameux invité que nous avions tenté d'identifier, se leva. Les épaules carrées, le visage propre et les cheveux courts, il portait un uniforme bleu avec des bidules sur l'épaule. Modeste, il gardait la tête baissée. Le directeur leva les mains et se mit à applaudir.

Pauvre capitaine Allinson ! L'auditorium ne fut pas ébranlé par une salve d'applaudissements spontanés. Personne ne s'évanouit ni ne se rua sur la scène. Et pas le moindre sifflement ne fusa. Au lieu de ça, l'auditorium au grand complet se fondit en une mer de marmonnements épars et décousus : « C'est qui, donc ? » « Qu'est-ce qu'il a fait ? » Puis, trois cents personnes se tournèrent vers leurs voisins en chuchotant : « Où est Shania Twain ? » De là où j'étais assis, sur l'un des côtés de la salle obscure, attendant de monter sur la scène pour recevoir mon ruban de champion, cela m'apparut comme un immense murmure de désappointement, semblable au bruit que fait, au fond du verre de lait frappé vide, la paille qui n'a plus rien à aspirer.

— Je me souviens de Sid en 1979, poursuivait le directeur, dans le temps où j'enseignais l'éducation physique. C'était déjà tout un sauteur, mais jamais je ne pouvais m'imaginer, à l'époque, qu'il aboutirait dans le cosmos ! Voilà un saut d'une hauteur impressionnante... même en considérant qu'il fut assisté par une fusée.

M. Omerod sourit. Voilà bien une blague de directeur. Le capitaine Sid en saisit l'humour et rit poliment. Le reste de l'auditoire était encore trop déçu pour réagir.

— Je suis certain que vous suivez les exploits de Sid dans les journaux, enchaînait le directeur. En tant que troisième Canadien à aller dans l'espace, il a représenté notre pays avec honneur et dignité. Il a accompli avec un succès remarquable sa mission à la NASA. La navette Columbia a réussi à résoudre les problèmes de fonctionnement d'un satellite. Sid, ainsi que le reste de l'équipage, a rencontré le... était-ce le vice-président?... (coup d'œil à Sid, qui opine)... le vice-président des États-Unis. Sid a également serré la main du premier ministre, à Ottawa, et, depuis son retour au pays, il met sa renommée et ses connaissances au service des écoliers, auxquels il révèle les secrets de la science et du cosmos. Quel merveilleux modèle pour la jeunesse d'aujourd'hui ! Quand on pense qu'il fut naguère un élève assis ici-même dans cet auditorium, tout comme vous en cet instant ! C'est assez pour vous faire réfléchir aux objectifs que vous vous fixez pour votre propre vie. Vous pourriez, un jour, vous retrouver là où il est...

Un silence suivit. C'est alors que, de l'obscurité protectrice du fond de l'auditorium, jaillit une question :

— Mais est-ce qu'il chante ?

Personne n'osa en rire.

Le directeur fronça les sourcils. Un peu nerveux, le capitaine Sid s'approcha du micro en serrant une liasse de feuillets. L'accueil plutôt tiède qu'il recevait n'arrangeait guère les choses. Il aurait sans doute donné gros pour se retrouver dans le cosmos. Je parie qu'il y en a bien d'autres qui préféreraient aussi être là-haut plutôt qu'à une Assemblée générale d'automne dans une école secondaire.

Je ne sais pas si Sid, comme il nous a demandé de l'appeler, a jamais compris ce qui se passait. Les rumeurs se répandent comme une traînée de poudre, et c'est ainsi qu'en moins d'une journée l'école au grand complet – de la petite Marianne Macadam, qui pouvait entrer dans un casier sans se tourner de côté, jusqu'à M. Valentine, conseiller en orientation et amateur notoire de musique country –, l'école au grand complet, donc, s'était attendue à voir Shania Twain sur la scène.

— Bonjour à vous tous, garçons et filles, dit le capitaine en guise d'introduction.

Ça commençait mal ! Ne détestez-vous pas ça, vous autres, quand on s'adresse à vous comme ça ? Il devrait y avoir un manuel d'instructions pour les conférenciers invités. Ne jamais appeler des garçons et des filles « garçons et filles ». Ne pas nous appeler « les enfants » non plus, ni même « les jeunes ». En fait, ne jamais mentionner le statut des auditeurs. La formule correcte quand on s'adresse à une Assemblée générale, c'est « Bonjour », tout court. À moins d'être célèbre. Dans ce cas, on dit : « Bonjour, je suis Shania Twain. »

— Je suis, euh, un capitaine, enchaîna le conférencier en désignant son uniforme, mais je n'ai jamais mis le pied sur un bateau.

Il s'arrêta de nouveau. Personne ne rit, sauf le directeur – voilà un style d'humour qu'il appréciait. Le capitaine lorgna vers ses notes.

— Maintenant, garçons et filles, je vous invite à visionner des photos vraiment intéressantes que j'ai prises lors de mon dernier voyage.

Un rideau s'ouvrit alors derrière lui pour découvrir un grand écran blanc. Le mois d'avant, une infirmière de la santé publique avait projeté, sur ce même écran, des images de poumons noircis et pourrissants.

Tout le monde se cala dans son fauteuil en soupirant. La déception faisait place à la résignation. Au moins, on savait désormais à quoi s'en tenir. On aurait droit à un autre diaporama... ce qui, à tout prendre, était encore préférable à un cours d'écologie.

Victor était à ma gauche. Il faut croire que ça ne le dérangeait pas de s'asseoir près de moi dans la noirceur. Je lui glissai à l'oreille :

— En fin de compte, ton père aurait mieux valu que ce type-là. Il aurait peut-être distribué des échantillons gratuits.

À ce moment-là, les lumières s'éteignirent et une grande carte du ciel apparut à l'écran.

Norbert s'éveilla vers le milieu de l'Assemblée. Il fait toujours une sieste dans l'après-midi – c'est la partie de lui qui n'a encore que trois ans. Parfois, tout un après-midi peut s'écouler sans qu'il émette le moindre son. En tout cas, c'est seulement au moment où le capitaine Sid se mit à nous parler des constellations que je sentis un picotement familier dans mon nez.

— *Qu'est-ce qui se passe ?* chuchota Norbert, mais c'était plutôt un bourdonnement qu'un chuchotement.

Victor et Miranda, ma voisine de droite, furent sans doute les seuls à l'entendre à part moi.

— *Tu m'avais promis de me réveiller quand l'Assemblée générale commencerait !*

— Chut ! lui dis-je tout bas.

— *Hé !* (Je sentis tout à coup mes narines s'échauffer : Norbert devait être surexcité.) *Mais ce n'est pas Shania Twain !* dit-il en montant le ton.

Oh non !

— Du calme, Norbert ! lui chuchotai-je, en me penchant en avant sur mon siège.

— Est-ce que ça va ? s'inquiéta Miranda.

Elle et Victor échangèrent un regard derrière mon dos.

— *Est-ce que Shania Twain va venir plus tard ?*

— Oui, lui chuchotai-je. Plus tard.

Plus tard, ce soir, à la télé.

— Maintenant, tiens-toi tranquille et écoute.

L'auditorium au grand complet dormait déjà à moitié. Même le directeur, dont on distinguait la silhouette dans le jet de lumière qui jaillissait entre les diapositives, avait étouffé quelques bâillements discrets. Tout modèle et grand astronaute qu'il fût, le capitaine Allinson n'était pas un orateur très palpitant.

— Les constellations représentent une toute petite portion des étoiles visibles au firmament pendant la nuit. Voyez-vous, toutes les constellations sont constituées d'étoiles fixes. Elles ne changent pas d'année en année ou de siècle en siècle. La plupart des étoiles ne sont pas fixes, cependant. Elles sont, euh, comment dirais-je...

— *Décrochées ?* interrompit Norbert, à haute voix.

Des gloussements s'élevèrent dans l'auditoire, et le capitaine Allinson eut un sourire prudent.

— En mouvement, dit-il.

Avec un pointeur lumineux, il indiquait les sections de diapositive qu'il expliquait.

— Ces étoiles, dit-il en ramenant son pointeur vers le centre de la diapo, forment la constellation que les Grecs de l'Antiquité avaient baptisée en l'honneur du grand chasseur Orion. Voyez, ici, cette rangée de trois étoiles : elle est censée représenter sa... euh, sa ceinture.

— *Vous vous trompez !* dit Norbert, pas mal fort.

Bien sûr, ça le connaît, lui, les voyages intersidéraux ! Le directeur se redressa dans son fauteuil. Tout le monde en fit autant.

— *Regardez-le ! Non, mais est-ce que ça ressemble à un chasseur ? Franchement !*

— Tu ferais mieux de rester tranquille, Couic-couic, chuchota Miranda.

— Je n'y peux rien, répondis-je tout bas. C'est Norbert qui parle, pas moi.

Le capitaine fouillait l'assistance des yeux, mais il ne pouvait pas me voir dans la pénombre. Sa réaction à l'interruption fut plutôt sympathique.

— Les Grecs avaient de l'imagination à revendre, commenta-t-il.

— *Ils avaient surtout la vue très faible.*

Plein de gens pouvaient entendre Norbert, maintenant. Il y eut des ricanements, et quelques profs se mirent à crier : « Chut ! »

— Je ferais mieux de sortir d'ici, chuchotai-je.

— As-tu besoin d'aide ? demanda Miranda avec sollicitude.

— Vaut mieux le laisser tout seul, conseilla Victor.

Je me baissai pour quitter mon siège et entrepris de me frayer un chemin vers le bout de la rangée, en m'excusant auprès de mes camarades. Avec un peu de chance, je finirais par atteindre la porte.

Mais Norbert continuait à passer ses commentaires :

— *Et votre façon de diriger la navigation dans le cosmos est très primitive. Sur mon vaisseau spatial...*

Le capitaine Allinson passa à la diapositive suivante comme j'allais atteindre le bout de la rangée.

— Ici, dit-il, nous avons une constellation bien connue.

— *La Casserole de Chocolat !*

Je couvrais Norbert de la main, mais suffisamment de personnes l'avaient entendu pour qu'un éclat de rire se répande dans l'assistance. Et, je le jure, j'entendis quelqu'un chuchoter : « Couic-couic. » En tout cas, ça sonnait drôlement comme ça. Le directeur s'avança au bord de la scène.

— Qui est-ce qui se permet... ? demanda-t-il, furieux.

Il faisait trop noir pour qu'il me distingue clairement dans ma position accroupie, mais il regardait droit vers moi.

— La Petite Ourse, dit le capitaine. En latin *Ursa Minor.* Il est vrai qu'elle ressemble un peu à une casserole, vous ne trouvez pas ?

— *Hé ! Où est-ce qu'on s'en va ?*

J'avançais maintenant à quatre pattes, grimpant l'allée aussi vite que je le pouvais. Vivement la sortie !

— Tais-toi ! lui dis-je d'une voix essoufflée.

— *Je ne veux pas manquer la musique country.*

Je poussai alors la porte. Elle s'ouvrit, et un jet de lumière filtra dans la salle obscure.

— Il est là-bas ! cria le directeur. Il sort ! Arrêtez-le, quelqu'un !

Sauf que je courais déjà le long du corridor en me tenant le nez. Direction : les toilettes les plus proches. Chemin faisant, je croisai un concierge qui me demanda si j'allais bien.

— Je saigne du nez, lui répondis-je par-dessus mon épaule.

Je n'arrive pas à me regarder le nez sans avoir les yeux croches. Voilà où un miroir vient à point. Une fois dans les toilettes des gars du rez-de-chaussée, je me plaçai donc devant le miroir et fixai Norbert.

— Tu es content, j'espère ! lui dis-je. Sais-tu dans quel pétrin tu nous as mis ?

Il ne répondit pas. J'avais le nez plissé – il plisse quand je suis mal à l'aise ou quand ça sent mauvais. Les portes des cabines étaient toutes fermées.

— La Casserole de Chocolat ! dis-je avec amertume. Franchement !

Norbert ne répondit rien.

Tiens, tiens, était-ce bien une volute de fumée qui s'élevait de la cabine la plus proche ? Je l'observai avec attention. Oui, c'était bien ça. Toute la pièce empestait la cigarette, aussi. Pas surprenant que mon nez se soit plissé : quelqu'un fumait dans une cabine.

Non, pas quelqu'un, mais plusieurs personnes, car je distinguai deux, et puis trois volutes. Toutes les cabines étaient occupées... mais par qui ? Qui donc pouvait bien griller des cigarettes alors que toute l'école devait être à l'Assemblée générale ? J'avais remarqué Mary dans l'auditorium.

Je me ruai vers la porte des toilettes, mais je m'arrêtai brusquement : j'entendais parler dans le corridor.

— Il s'est enfui par ici, disait le concierge. M'a dit qu'il saignait du nez. Je ne peux pas vous dire à quoi ressemblait sa voix. Il parlait un peu bizarrement.

Oh, oh !

Je revins vers le lavabo en courant, à temps pour entendre le sifflement d'une cigarette qu'on noie dans la cuvette des toilettes. Et un autre. Puis un « Ayoye ! » sonore de Gary, qui avait dû se brûler. Les chasses d'eau furent tirées en même temps. Je me précipitai de nouveau vers la porte. Les voix se rapprochaient dans le corridor. Je revins au miroir ; mon cœur battait la chamade. J'étais fait comme un rat ! Savez-vous combien de cachettes il y a dans des toilettes d'école, à part les cabines ? Exact. Aucune. L'instant d'après, Gary, Larry et Prudence émergeaient des cabines. Ils souriaient. Oui, même Prudence, qui ne sourit jamais.

— Sais-tu dans quel pétrin *tu* t'es mis ? demanda-t-elle.

Chapitre 11

Ouf!

En situation désespérée, les idées les plus idiotes nous traversent l'esprit.

— Qu'est-ce que tu fais dans les toilettes des gars ? demandai-je à Prudence.

Encore une fois, cette fille m'impressionnait. Pour ma part, je serais beaucoup trop gêné pour seulement oser mettre les pieds dans les toilettes des filles ! Alors, imaginez, m'enfermer dans une cabine pour fumer !

Elle ne répondit pas. Je m'éloignai d'elle en reculant vers la porte. Mon plan, c'était de filer à toutes jambes dans le corridor et de m'en remettre à la merci de M. Omerod. Entre deux maux, il faut choisir le moindre. Subir un sermon directorial serait beaucoup moins douloureux que de me faire zigouiller.

Je fis demi-tour, mais Prudence ne me donna pas la chance d'atteindre la porte. Sa main se tendit d'un coup sec. Plus rapide qu'un serpent à l'attaque, elle m'agrippa par la chemise et me tira en arrière. Mon col me rentrait dans le cou à m'étouffer. Prudence ne lâcha prise que lorsque je devins mou comme de la guenille et que je m'effondrai sur le sol. C'est froid, des planchers de toilettes publiques... vous avez remarqué ? Peut-être pas... si vous n'avez jamais eu l'occasion de vous y étendre. Je zieutais au-dessus de moi les visages de Prudence, de Gary et de Larry. J'essayai de crier, mais seul un petit râlement grêle s'échappa de ma gorge. Alors, je tentai de me cuirasser pour faire face à la douleur... mais ce fut peine perdue. Quelle que soit l'ampleur de la préparation mentale, la douleur surprend. Ça fait mal. Je me souviens de la moindre injection que j'ai reçue dans ma vie, du moindre sparadrap que j'ai arraché, de la moindre écharde que ma mère a retirée de ma main. J'ai toujours essayé de me blinder contre la douleur... mais ça n'a jamais fonctionné.

Gary me flanqua un premier coup de pied. On dit qu'il ne faut pas frapper un gars qui est à terre, mais Gary est une véritable brute, et c'est comme ça qu'agissent les brutes. J'aimerais pouvoir dire qu'il s'est fait mal en me donnant ce coup de pied au derrière, mais ce n'est pas le cas. Je voulus crier « Ayoye ! », mais ne réussis à produire qu'un tout petit couinement.

C'est là qu'il a gaffé. Il s'est penché et, dans le but de rire de moi, il a tordu Norbert.

Grossière erreur !

Un glapissement suraigu, étonnamment intense, fusa :

— ***Ayoye !***

Gary se redressa. J'en fis autant, allez savoir comment ! Je n'en reviens pas moi-même. C'est comme si j'avais reçu une décharge électrique. L'instant d'avant, j'étais sur le dos, à regarder mes tortionnaires, incapable de seulement bredouiller... et voilà que, tout d'un coup, j'étais sur mes pieds, le cœur battant à tout rompre, les muscles tendus, prêt à l'action, mon puissant cri de bataille ébranlant le plafond des toilettes.

Bien sûr, ce n'était pas *mon* cri de guerre. C'était celui de Norbert :

— *Allez, hop ! À l'attaque ! Attaque ! Attaque ! À mort !*

On aurait cru entendre un petit suisse qui aurait été samouraï. Gary recula, une étrange expression sur le visage. Il pensait probablement que j'avais viré fou – et je ne dis pas que cette pensée était déraisonnable. Il tendit les mains en avant pour se protéger de mes éventuels coups de poing, mais je ne me mis pas à le boxer. Je ne levai même pas les mains. Je me ruai droit sur lui, bondis dans les airs et lui servis un puissant smash en pleine face avec mon... en fait, c'est difficile à dire avec quelle partie de mon visage je l'ai atteint. Norbert dirigeait l'offensive, mais je le soupçonne de s'être esquivé au dernier moment pour laisser mon front faire le travail. Tout ça s'est passé très vite.

Quoi qu'il en soit, cela a fonctionné comme sur des roulettes. Je ne sentais aucune douleur, tandis que Gary hurlait et braillait en se tenant le pif. Le sang lui dégoulinait des doigts, comme du jus de raisin d'un berlingot percé – ça m'est arrivé la semaine dernière au dîner, et il y en avait partout.

Pendant une seconde, Prudence et Larry furent trop abasourdis pour réagir… et c'est pendant cette seconde que je tentai ma manœuvre. Je fis un pas en avant, perdis l'équilibre et m'écrasai par terre. Comme manœuvre, hein, on a déjà vu mieux. Les deux Couguars ont alors bondi devant moi pour me bloquer la route. Larry eut son gros rire épais de gars ahuri. Ils m'avaient, là, et nous le savions tous. Un étrange sentiment de résignation m'enveloppa comme une couverture. Je n'allais plus me débattre.

C'était toute une paire d'amis qu'il avait là, Gary ! Ils se contrefichaient de lui qui, affalé contre le lavabo, tâtonnait pour attraper une serviette de papier avec laquelle étancher son sang. Ni Prudence ni Larry ne gaspillèrent le moindre regard dans sa direction.

— T'es mort, Dingwall, chuchota Prudence.

— D'accord, dis-je.

— Tu vas y goûter !

— D'accord.

— Tu nous as crié des noms sur le terrain de soccer. Tu nous as humiliés. On ne peut pas te laisser t'en tirer. Tu viens de casser la gueule de Gary. Pour ça aussi tu vas payer. Tu piges ?

— D'accord.

Je ne comprends pas pourquoi je réagissais comme ça. C'est comme si on m'avait jeté un sort. On aurait dit une de ces poupées qui n'en finissent pas de toujours répéter la même chose. Tirez sur ma corde, et je dis « D'accord ».

— Tu vas gémir, tu vas demander grâce, mais ce sera peine perdue. Jamais de toute ta vie tu ne crieras plus de noms à qui que ce soit. Es-tu… d'accord ?

— C'est parfait, dis-je.

— T'es prêt, Larry ? Je compte jusqu'à trois. Un, deux…

Mais voilà que, sur ces entrefaites, la porte des toilettes s'ouvrit, et le directeur fit irruption dans la pièce. Se produisit alors un revirement complet de la situation.

— Qu'est-ce qui se passe ici ? tonna M. Omerod d'un ton tout à fait directorial.

Derrière lui, dans un tout autre registre, le concierge s'écria « Hé ! », ce qui voulait dire exactement la même chose.

Ils avaient tellement d'éléments à absorber – le sang et les serviettes de papier, une fille dans les toilettes des gars – qu'ils ne me remarquèrent pas. Je vis une façon d'échapper à la fois à la mort et à la retenue. Je me faufilai précipitamment dans la cabine la plus proche, m'accroupis sur le siège des toilettes et fermai doucement la porte. Je ne voulais pas que le concierge se rappelle ma chemise jaune.

— Prudence, que fais-tu dans les toilettes des gars ? interrogeait le directeur. Et vous deux, pourquoi n'étiez-vous pas à l'Assemblée générale des élèves ?

Seules les pleurnicheries de Gary brisaient le silence. Pauvre Gary ! Sa blessure ne lui attirait pas la sympathie du directeur non plus. Je me gardais bien de parler, tout en espérant que personne ne remarquerait la chamade que faisait mon cœur dans ma poitrine. On aurait dit un géant en train de fendre des bûches.

— J'ai quitté l'Assemblée générale pour aller aux toilettes, expliqua Prudence. En revenant vers l'auditorium, j'ai longé les toilettes des gars et j'ai entendu Gary qui criait au secours. Je suis accourue, bien sûr. Gary était debout devant le lavabo, comme ça, et il saignait du nez. Larry était déjà en train de l'aider. Puis vous êtes entré, monsieur.

Elle pense vite, Prudence. Je me demandais si M. Omerod goberait son histoire. Il huma l'air de la pièce, qui empestait encore la cigarette, et s'adressa aux garçons :

— Et vous deux, alors ?

— Oh... eh bien, c'est exactement comme elle l'a dit, répondit Larry, qui n'était pas un penseur de vitesse. J'étais en train d'aider Gary, et elle est entrée.

Gary larmoyait tranquillement.

— Hum. Alors, c'est bien le garçon que vous avez vu dans le corridor, monsieur Keenan ?

— Eh bien, monsieur...

Le concierge paraissait hésitant. Gary est plus grand que moi, il a les cheveux plus foncés et il ne me ressemble pas du tout. Mais le concierge ne m'a aperçu que pendant quelques secondes, et il n'a jamais vu mon visage.

— Ça pourrait bien être lui, dit-il. Il saigne du nez, en tout cas.

— Est-ce toi qui as interrompu notre invité spécial pendant l'Assemblée générale, Gary ? s'enquit le directeur.

— Non, monsieur.

— Alors toi, Prudence ?

— Non.

— Toi, Larry ?

— Euh ? Non, monsieur. Bien sûr que non.

Ce qui était bel et bien la vérité. Non seulement Larry n'avait pas interrompu l'Assemblée... il n'y avait même pas mis les pieds.

Le directeur soupira.

— Bon. Gary, on dirait que ton nez a cessé de saigner. Rends-toi quand même à l'infirmerie. J'enverrai quelqu'un t'examiner dans quelques minutes. Quant à vous, Prudence et Larry, retournez à l'auditorium pour la dernière partie du programme.

— Oui, monsieur.

Le soulagement de Larry perçait dans sa voix. Ils allaient s'en tirer sans punition. Il fut alors tenté d'improviser.

— Formidable, le spectacle, n'est-ce pas, monsieur ?

— Que veux-tu dire ?

— Shania Twain, monsieur. Elle nous donne un spectacle formidable. On n'est pas des adeptes de sa musique – Prudence, Gary et moi –, mais on est d'accord que de la voir *live*, comme ça, c'est... vraiment...

Sa voix s'estompa. Il avait violé la règle numéro un de l'Art-de-s'en-tirer-sans-punition, une règle que les enfants sont censés apprendre dès leur plus jeune âge. Toujours s'en tenir à l'essentiel. Personne n'a jamais reçu de volée pour en avoir trop peu dit.

M. Omerod fut catégorique.

— Tous les trois… en retenue pour avoir manqué l'Assemblée générale. Je vous attends à mon bureau tout de suite après l'école. Et maintenant, vous m'accompagnez à l'auditorium.

J'entendis leurs pas s'éloigner et Larry crier « Ayoye ! ». Je me demandai lequel des deux autres lui avait donné un coup de pied.

Je bavardai un peu avec Miranda après l'école, en attendant l'autobus scolaire qui la ramènerait chez elle. D'autres élèves qui voyageaient en autobus me jetaient des coups d'œil. Des coups d'œil admiratifs. Je n'étais pas habitué à me faire remarquer, mais ça ne m'ennuyait pas. Je racontai à Miranda la scène des toilettes, et elle partit à rire.

— Très courageux de ta part, commenta-t-elle. Mais ces Couguars sont tellement effrayants. À ce que tu racontes, j'ai l'impression qu'ils ont vraiment l'intention de te malmener. La poussière retombera probablement dans une semaine ou dix jours, mais je n'aime pas du tout te savoir en danger, Alan.

— Moi non plus, dis-je.

Selon moi, la poussière ne retomberait pas de sitôt, mais je ne voulais pas faire le geignard.

L'autobus arriva alors. Miranda hissa son sac sur son épaule et donna à mon… enfin, donna à Norbert une pincette affectueuse.

— La Casserole de Chocolat, dit-elle en secouant la tête.

Pour novembre, le temps était plutôt agréable : un peu venteux, mais très ensoleillé et pas trop frais. Je marchais le blouson ouvert et les mains dans les poches. Là-haut dans un arbre, tout près, un cardinal chanta. Les Couguars me préoccupaient, mais je me sentais heureux, également. Plus heureux que préoccupé, sans savoir pourquoi.

— *Tu es pas mal de bonne humeur,* commenta Norbert.

— Pas toi ?

— *Je ne sais pas. Je m'ennuie de mon chez-moi,* dit-il en soupirant.

— Jupiter, tu veux dire ?

— *C'est peut-être le fait d'avoir vu la Casserole de Chocolat, si nette et si brillante. Il me suffisait de regarder par la fenêtre pour la voir. Chaque nuit. Ma mère me racontait souvent comment, il y a longtemps, la casserole avait été renversée. Alors le chocolat avait coulé, avec les petites guimauves, et ensemble ils avaient formé la traînée de lumière qui traverse le firmament durant la nuit. Je n'arrive pas à me rappeler comment ça s'appelle. La voie ferrée, ou quelque chose comme ça.*

— La Voie lactée, peut-être ?

— *Oui, c'est en plein ça.*

Un nouveau soupir lui échappa.

Rendu au pont de la rue King, je m'arrêtai pour regarder, par-dessus le parapet, l'eau brunâtre de la rivière qui courait sous moi à grand débit. Je ne voyais pas de poissons. Je n'en vois jamais, sauf l'été lorsque l'eau est basse et stagnante, et que les grosses carpes paresseuses quittent le lac pour venir traîner dans les parages, à bouffer des vidanges – c'est du moins ce qu'affirme Victor. Chose certaine, ils ne mangent pas les vers de terre avec lesquels on essaie de les pêcher.

Je déverrouillai la porte d'entrée et pénétrai dans la maison. J'étais seul, comme d'habitude. Maman n'arriverait pas avant au moins une heure. Il y avait deux messages sur le répondeur. Le premier s'adressait à ma mère ; il provenait d'un jeune qui n'avait pas l'air tellement plus vieux que moi. Il était accusé de quelque méfait qu'il n'avait pas commis.

— Oh ! mon pauvre chou ! marmonnai-je, la bouche pleine de brisures de chocolat.

Le second message était pour moi. Il y avait longtemps que je n'avais pas entendu la voix de papa, et je mis un moment avant de la reconnaître. « Désolé, fiston, disait l'enregistrement. Impossible de venir te voir ce week-end. Je sais que nous avions planifié une journée bien remplie, avec le ciné et peut-être même un match aux Gardens, et j'avais très hâte à tout cela. Mais il y a ce bonhomme important de Hong-Kong qui vient à Vancouver pour deux jours seulement, et il faut absolument que je le rencontre. Désolé de ne pas pouvoir te parler directement. J'essaierai de rappeler plus tard. Salut ! »

Le silence emplit alors la maison comme un écho profond, et je descendis à la salle de télé du sous-sol. Envolée, ma belle humeur. Tout comme Norbert, j'avais la nostalgie de mon chez-moi. Sauf que, dans mon cas, j'y étais, chez moi. Je m'ennuyais d'un chez-moi qui n'existait plus.

Je regardai la télé jusqu'à ce que maman revienne et se mette à remuer des casseroles dans la cuisine. Elle semblait y aller plus fort que nécessaire, comme si elle était en colère et ne connaissait pas d'autre moyen de le manifester. Ou alors, c'est que le silence lui pesait autant qu'à moi.

Chapitre 12

C'est vrai, ils m'aiment !

Ce soir-là, nous mangions des tendres de poulet pour souper. C'est comme ça que ça s'appelle. Eh bien, pour la tendreté, hein, on repassera. Je me demande même si c'était bien du poulet. Ça sortait tout droit du congélateur, tout comme le succotash*, et nous avions du riz vapeur avec ça. Maman aime le riz ; moi, pas. Nous en mangeons donc plus souvent quand elle est fâchée contre moi, et moins souvent quand elle est contente de moi. Le « riz-mètre » est un solide indicateur de ma cote auprès d'elle. L'été dernier, quand j'ai brisé l'antenne radio de sa voiture en jouant au football, on en a bouffé pendant sept jours d'affilée.

Le repas se déroula dans un silence entrecoupé par des bruissements de pages. Je lisais l'histoire d'une chauve-souris égarée qui cherchait le reste de sa colonie, et maman consultait un dossier. De temps à autre, elle

---

* Succotash : mets d'origine amérindienne composé de haricots et de maïs sucré.

demandait « Comment ça s'est passé, à l'école ? », ou « As-tu fini tes devoirs ? », ou encore « Veux-tu d'autre succotash ? ». Et je répondais « Bien », « Presque » ou « Non ». Le succotash : voilà un mets dont le goût ressemble à son nom.

Après le souper, je suis allé faire un tour chez Victor, officiellement parce que nous travaillions à un projet scientifique ensemble. En réalité, ça me tentait de jouer au hockey sur son ordinateur. On a jusqu'à la fin de la session pour terminer notre projet, il n'y a donc pas d'urgence. Mais le jeu de hockey, et le manche à balai dont on a besoin pour y jouer, sont flambant neufs.

Sa mère vint m'ouvrir avec un grand sourire.

— Allez, entre, Alan, dit-elle. On allait se mettre à table. Tu vas te joindre à nous, bien sûr...

— J'ai déjà...

Elle ne me laissa pas finir.

— Juste une bouchée, alors.

Elle me passa un bras autour des épaules et m'entraîna dans la cuisine, la pièce de la maison où elle semble passer tout son temps. C'est l'air qu'elle aime respirer... et, si elle s'en éloigne trop longtemps, elle cherche son souffle.

— Est-ce que vous mangez des tendres de poulet ? demandai-je.

— Non, fit-elle, le front plissé. Qu'est-ce que c'est ?

— Je n'en sais rien, dis-je. Mais on en mange tout le temps chez nous.

Un ragoût bouillonnait dans un gros chaudron sur la cuisinière, avec de la saucisse, des pommes de terre et de gros légumes de couleur pâle. Et moi, le gars qui, quelques minutes auparavant, n'était plus capable de rien avaler, voilà que je me trouvais de l'appétit pour une pleine assiettée.

— C'est quoi, ce légume ? demandai-je. Ce n'est pas du chou.

— Non, fit Mme Grunewald, les yeux pétillants. Tu n'aimes pas le chou, Alan ? La dernière fois, tu n'arrivais pas à décider si tu aimais ça ou pas.

Norbert avait aimé ; moi, j'avais détesté. Mais je ne dis rien de ça à Mme Grunewald.

— Celui-là, je l'aime bien, dis-je.

Victor et son père échangèrent un sourire. Tous deux sont de bons mangeurs.

— C'est du navet, dit sa mère.

Je fronçai les sourcils. Je déteste le navet. Du moins, c'est ce que je croyais.

Une petite radio de cuisine diffusait de la musique classique. Une mélodie très chargée, mais familière – je ne pouvais m'empêcher de sourire. M. Grunewald écoutait. Je le savais, parce qu'il mastiquait en cadence. Quand la musique accélérait, il mastiquait plus vite.

— C'est magnifique, dit-il en finissant une bouchée.

Je me demandais s'il parlait de la nourriture ou de la musique.

Chez nous, quand on écoute la radio en mangeant, c'est généralement une émission d'actualité. C'est difficile de s'exciter devant la beauté des nouvelles.

Autour de la table, chez les Grunewald, on parlait de toutes sortes de choses bizarres. Les parents de Victor voulaient toujours savoir comment leur fils se sentait. Est-ce qu'il aimait vraiment Mlle Scathely ? Est-ce que le test de maths l'inquiétait ? Ils me posèrent des questions, à moi aussi. Qu'est-ce que je pensais des garçons qui portent des boucles d'oreilles ? Ce gars qui en avait plein les oreilles, ce Gary, est-ce que je ne croyais pas que c'était un bon à rien ?

Je n'en revenais pas. Maman et moi, on ne parlait pas comme ça. C'en était presque embarrassant.

— C'est un bon à rien, dis-je à Mme Grunewald. Mais pas à cause de ses boucles d'oreilles.

— Non, non, intervint M. Grunewald, mets la poule avant l'œuf : un garçon bien n'irait pas se faire percer les oreilles.

La musique s'arrêta, et un annonceur prit le relais. M. Grunewald tendit son assiette pour une autre assiettée de ragoût.

— Aimes-tu la musique, Alan ? demanda-t-il. Un grand compositeur, Rossini, ne trouves-tu pas ?

— J'ai entendu de ses trucs à l'émission *Bugs Bunny,* dis-je.

Victor ricana. Je ne sais pas ce qu'il trouvait de si drôle dans ma réponse. C'est pour ça que je reconnaissais l'air. Je revoyais clairement Daffy Duck qui courait pour échapper à Elmer Fudd.

M. Grunewald fronça les sourcils et émit un son qui ressemblait à « Hmph ».

Le ruban doré du championnat *intra-muros* était épinglé au babillard. L'inscription disait : *Champions de la Septième année.* Les seules choses qu'on affiche au babillard, chez nous, ce sont des annonces concernant l'école, ou des coupons-rabais. J'ai un tiroir dans ma table de travail où je garde des trucs personnels – une photo de moi et de papa exhibant un poisson que nous avions pêché, une copie du journal local de l'année dernière, dans laquelle une de mes histoires avait été publiée.

Le dessert consistait en une pâte feuilletée remplie de fruits et couverte de sucre blanc. Très difficile de manger ça sans faire des miettes partout. J'ai dû remercier

Mme Grunewald une douzaine de fois. Victor et son père n'en finissaient pas de sourire.

— Ouste, maintenant, les gars ! nous dit Mme Grunewald en nous chassant de la cuisine. Je sais que vous voulez travailler à votre projet. Non, John !

Elle donna une petite taloche à son mari, qui essayait de se tailler une autre portion de dessert.

Dans sa chambre, Victor poussa un soupir de soulagement.

— Désolé, dit-il. Ma mère est un peu…

— Ça va, lui dis-je. Je l'aime bien, ta mère. Et la nourriture était bonne. Même le navet.

— Ouais, elle fait bien la cuisine. Si seulement elle ne… prenait pas tout tellement à cœur.

Le commentaire de Victor me parut étrange ! On aurait dit que l'attitude de sa mère lui pesait.

L'ordinateur était déjà allumé. Il prit deux cédéroms sur une étagère à l'épreuve de la poussière : *L'encyclopédie universelle* et *La Ligue nationale.*

— Veux-tu commencer par le hockey, demanda-t-il, ou par la science ?

Question idiote.

— Lance et compte ! répondis-je.

— T'es sûr ? Pourquoi pas : recherche et trie les données ?

— Vic…

— Ou encore : observe et tire des conclusions !

Je lui pinçai le bras.

— D'accord, d'accord, fit-il en insérant le disque dans le lecteur.

Nous avons joué pendant environ une heure. Victor gagnait presque tout le temps, mais je me suis bien amusé. Nous avons même fini par faire un peu de travail sur notre projet scientifique avant que je m'en aille.

Les parents de Victor vinrent à la porte me dire bonsoir. Je remerciai encore Mme Grunewald pour le souper. Elle sourit, radieuse, et m'invita à revenir bientôt.

— Tu ne connais rien à la musique, dit M. Grunewald en me donnant une tape dans le dos, mais tu es un bon gars.

Dites-moi, pourquoi cet énoncé m'a-t-il donné envie de pleurer en revenant chez moi ?

— *Hé ! Ça coule, ici ! Qu'est-ce qui se passe ?*

— Je ne sais pas.

— *Tu n'es pas en train d'attraper le rhume, j'espère ? Tu sais comme je déteste ça.*

— Je suis seulement un peu chamboulé, dis-je. Mon père ne me dit jamais que je suis un bon gars.

— *Eh bien, si je te le dis, moi, que tu es un bon gars, vas-tu arrêter de m'inonder ? Le tapis de la pièce arrière est imbibé.*

Norbert est tellement compatissant !

— *Il a fallu que je mette mes bottes en caoutchouc tellement c'est mouillé !*

Je n'ai pas pu m'empêcher de sourire.

Il n'y a pas de lampadaires entre chez Victor et chez moi. La nuit m'enveloppait comme une couverture. La pleine lune paraissait tellement proche qu'on aurait pu la toucher.

— Il y a des fois où je voudrais ne pas avoir à rentrer à la maison et retrouver ma mère, dis-je.

— *Curieux,* fit Norbert en soupirant. *Moi, des fois, ça me fait bien envie.*

— Vous vous êtes bien amusés, Victor et toi ? cria ma mère, depuis la cuisine.

— Oui, oui.

— Une fille a téléphoné il y a quelques minutes. Une certaine Miranda. J'ai noté son numéro.

Je suspendis mon blouson et vins dans la cuisine. Maman était assise à un coin de la table, une pile de dossiers trônant près d'elle dans un équilibre précaire. Je ressentis une impulsion débile de tout faire basculer.

— Tu sais, maman, les Grunewald m'aiment bien. C'est vrai, ils m'aiment !

Elle me jeta un bref regard, souriant de la bouche, mais pas des yeux.

— C'est bien, mon chéri.

Chapitre 13

Un poème pour Miranda

C'était la première fois que j'appelais Miranda. En composant son numéro, je fus surpris de constater que j'avais les doigts moites. Ma respiration était rapide, également.

Le téléphone est dans la cuisine. Pas très intime, avec maman qui travaille à quelques mètres. Je la harcèle depuis quelque temps pour qu'elle m'installe un appareil dans ma chambre, mais elle me répond chaque fois : « Oui, un de ces jours. » Je me demande duquel elle parle. La ligne était occupée chez Miranda. Je courus à l'étage, transpirant doucement.

— *Que se passe-t-il ?* demanda Norbert d'une voix maussade.

— Rien, lui dis-je.

— *Il fait donc bien chaud, ici, tout à coup, et j'entends ton cœur qui joue comme une batterie. Tu es malade, ou quoi ?*

— Je ne pense pas.

Je m'assis et essayai de faire mes devoirs, mais sans me concentrer. Norbert m'interrompit tout à coup :

— *C'est elle, n'est-ce pas ? Tu penses à elle.*

— À qui ? bafouillai-je. Je ne sais pas de qui tu parles.

— *Tu m'en diras tant ! Regarde un peu ton devoir.*

Baissant les yeux, je vis le nom de Miranda écrit partout dans mon cahier d'épellation. Bon.

— D'accord, faut croire que je pense un peu à elle.

— *Hé ! c'est correct. J'ai déjà été en amour, moi aussi. Nérissa, elle s'appelle, et je m'ennuie encore d'elle – eh ! ça rime ! Je me demande ce qu'elle fait en ce moment.*

— Je ne suis pas en amour !

— *Pardon ? Oh non ! bien sûr que non !*

— Je ne le suis pas, je t'assure.

— *D'accord.*

On savait tous les deux que je mentais. Je sortis une feuille propre et, pensivement, j'écrivis encore une fois son nom. Miranda.

— Dis donc, Norbert, tu m'as donné une idée. Tu connais bien des mots, toi. Peux-tu trouver quelque chose qui rime avec Miranda ?

— *Tu vas écrire un poème ?* demanda-t-il.

— Peut-être.

Il réfléchit un instant.

— *Véranda,* dit-il.

— Un balcon, c'est ça ? Une sorte de galerie ?

Pas très romantique comme inspiration. Ma mère et mon père avaient loué un chalet avec une véranda, il y a quelques années. J'étais assis sur la véranda quand une araignée géante était tombée du plafond. Plop! juste sur mon genou! La sacrée bibitte était grosse comme mon poing! J'ai eu la peur de ma vie!

— *Eh! ce n'est pas moi que tu dois blâmer... parle à ses parents. Ils auraient pu l'appeler Jeanne, ou Marilou.*

— Je ne vois pas ce que je peux faire avec « véranda ».

— *Tiens, que dis-tu de ceci:*

Que je pense à toi, ô ma Miranda,
Faisant les cent pas sur la véranda...
Tes yeux brillants comme ceux d'une biche
Quand tu engloutis ton divin sandwich...

— Je ne sais pas trop, lui dis-je.

— *Ce n'est pas tout. Écoute la suite:*

Ton charme fou me rend fou de bonheur.
Oui, je suis sûr que c'est toi la meilleure.
Ah! te tenir serrée contre mon cœur!
Et te garder à jamais...

— Alan? fit ma mère en cognant à la porte. Est-ce que tout va bien?

— Mais oui, maman. Très bien. Bonsoir.

Elle se couche avant moi, parfois, car elle se lève très tôt, le matin, pour aller travailler.

— Bonsoir.

Elle hésita un moment à la porte, puis poussa un soupir et s'éloigna. Une minute plus tard, le téléphone sonna.

— Allô ? dis-je.

— Alan, c'est toi ? Tu as l'air essoufflé.

— Ah ! Miranda, salut ! dis-je.

Norbert ricana. Je poussai le combiné loin de ma bouche et tentai de me détendre.

— J'ai, euh, essayé de t'appeler, plus tôt, mais la ligne était occupée.

— Oh ! je m'excuse.

— Il n'y a pas de quoi.

Silence.

— Je suis, euh, content que tu aies téléphoné.

— C'est gentil.

Un autre silence.

— *Oh là là ! On croirait entendre Roméo et Juliette.*

— Tais-toi ! chuchotai-je.

— *Tellement poétique ! Tellement romantique ! Allons, Miranda, ne comprends-tu pas que je suis fou de toi !*

Je respirai de travers et sentis le feu me monter aux joues... Je me demandais si Miranda pouvait se rendre compte que je rougissais, au bout du fil. C'est vous dire à quel point j'avais chaud.

— Eh bien, Couic-couic ! dit-elle, et elle aussi paraissait fiévreuse et mal à l'aise. Je suis tellement contente que tu me le dises. Je commençais à me poser des questions. Tu vois, moi aussi je me sens comme ça par rapport à toi.

— C'est vrai ? hurlai-je – ou peut-être était-ce Norbert.

Peut-être avons-nous crié tous les deux à la fois. Quoi qu'il en soit... je ne vais pas m'attarder en détail sur les cinq ou six minutes qui ont suivi. En fin de compte, Norbert s'écria :

— *Fiou ! Voilà qui est pas mal mieux !*

Miranda partit à rire.

— Il y a quelque chose que je veux te demander, Alan. Je pensais justement que maintenant... enfin, je veux dire, je t'ai toujours trouvé... enfin je t'aimais bien, même l'an dernier. Et maintenant que je te connais mieux, que je sais à quel point tu es drôle, et tout et tout, je t'aime encore plus. Mais... enfin, ce que je veux dire, c'est... oh ! ça va te paraître stupide.

— Mais non, l'assurai-je. Continue.

— Eh bien... il n'y a pas vraiment quelqu'un qui habite dans ton nez, n'est-ce pas ?

Je ne savais que répondre.

— Eh bien..., commençai-je.

Je ne voulais pas mentir. Je voulais que Miranda m'aime pour moi-même, et ce moi-même incluait un petit vaisseau spatial et un astronaute qui venait de Jupiter. Si tu m'aimes, aime mon nez.

Mais je ne voulais pas qu'elle pense que j'étais vraiment dérangé. Drôle, d'accord. Drôle, c'était même bien. Mais vraiment cinglé...

— Eh bien..., répétai-je.

— D'après Victor, c'est rien qu'une grosse blague. Tu fais ton numéro comique de ventriloque, tu débites toutes tes fanfaronnades mais, en dedans, tu es vraiment toi-même. Est-ce que c'est ça ?

— Je suis vraiment moi-même, en dedans, dis-je. Ça, c'est certain.

— Et Norbert ? Est-ce que Norbert existe pour de vrai ?

— Eh bien...

Je sentis alors un petit chatouillement familier à l'arrière de mon nez.

— *Bien sûr que non ! Norbert n'existe pas pour de vrai.*

Je regardai le combiné en plissant le front.

— Comment ça ? chuchotai-je.

Mais Norbert fit comme s'il ne m'avait pas entendu.

— *Penses-y, Miranda. Un nez qui vient de Jupiter, est-ce que ça a du sens ? Un nez avec un vaisseau spatial qui cherche une place pour stationner ? Un nez qui boit du chocolat chaud et qui joue au soccer ? Allons donc !*

— Je suppose que non, admit Miranda.

— *Norbert, c'est seulement une partie d'Alan... la partie d'Alan qui est courageuse et amusante, et qu'il a toujours gardée cachée au fond de lui.*

— C'est vrai ? dis-je.

— *Tais-toi, espèce d'imbécile !*

— Qui est imbécile ?

— *C'est toi !*

— Tu as raison, Couic-couic, dit Miranda en riant. J'aurais dû le savoir.

Avant de me mettre au lit, j'éteignis ma lumière pour regarder le lac Ontario par la fenêtre de ma chambre. Le lac est juste là, de l'autre côté de la rue où nous habitons. La lune était presque pleine. La surface de l'eau ressemblait à un vêtement de velours noir orné d'une rivière de paillettes rutilantes. Dans l'ombre de la lune, la propriété voisine paraissait insolite et mystérieuse, alors qu'elle ne l'est pas du tout. En fait, elle est très propre et bien délimitée. Un vieux couple y habite. Au bout du pâté de maisons vit une drôle de famille avec tout plein de petits enfants. Leur propriété n'a jamais l'air insolite. Comme à l'accoutumée, la pelouse était jonchée de tricycles et de ballons. La mère est prof d'université et le père... eh bien, c'est difficile à dire ce qu'il est exactement, mais il porte des vêtements très simples, il affiche une humeur joyeuse, et il joue à la poursuite et au base-ball. Et quand l'un des enfants tombe et se fait mal, il accourt et transporte le petit blessé à l'intérieur.

J'allais fermer les rideaux quand un mouvement dans notre jardin attira mon regard. J'essayai d'y voir quelque chose, mais l'angle n'était pas propice. J'étais trop haut et l'avant-toit du garage obstruait ma vue.

Avais-je, oui ou non, imaginé le mouvement dans les ombres, près du buisson de conifères ?

Probablement.

Mais je savais que je ne pourrais pas dormir si je me contentais de faire celui qui n'a rien vu. Je me mettrais à imaginer des cambrioleurs en train de crocheter nos serrures. Ouache ! Descendre l'escalier fut pas mal plus apeurant que je ne l'aurais souhaité. Sur la pointe des pieds, je m'approchai de la fenêtre en saillie du salon et fouillai le jardin des yeux. Avais-je bien vu quelque chose bouger de ce côté ? Ou quelqu'un ? Ce n'était pas en restant là à grelotter dans le noir que j'en aurais le cœur net, alors je courus vers le couloir pour allumer les projecteurs extérieurs et revins au salon en vitesse. Et voilà ! Une forme sombre bondissait vers les ténèbres pour échapper à mon regard. Était-ce un monstre ? Un cadavre ambulant ? Un émissaire venu de la terre des morts-vivants ? Un écureuil, peut-être ?

— **HÉÉÉ** ! criai-je à pleins poumons.

Le son de ma propre voix résonna puissamment dans le silence nocturne de la maison. Je ne voulais pas sortir, mais je voulais y voir davantage si c'était possible. Je remontai prestement à ma chambre et ouvris tout grand les rideaux.

Je le voyais ! Il était là. Ni un zombie ni un écureuil. C'était un être humain.

Une silhouette solitaire, penchée sur un guidon, roula précipitamment le long de la rue avant de tourner le coin. Toute de noir vêtue, sauf pour la décoration familière qui ornait le dos de sa veste de cuir. Trop petite pour être un des gars, ou Mary. Ce ne pouvait être que Prudence.

— Alan ?

La question ensommeillée provenait de la chambre de ma mère.

— Tu as crié ? Est-ce que tout va bien ?

— Tout va bien, répondis-je. Désolé de t'avoir réveillée.

Je me mis au lit, la tête bourdonnante. Ainsi donc, les Couguars m'espionnaient, maintenant.

Chapitre 14

Mauvais présage

Le lendemain matin, après le petit déjeuner, je fis le tour de la maison et, comme de fait, je relevai, dans le jardin, des empreintes de pas qui n'étaient ni les miennes ni celles de maman. Des empreintes humaines, plus petites que les miennes... qui pouvaient être de la pointure de Prudence. Un des arbustes avait été renversé, sans doute quand elle a pris la fuite. Bien sûr, ç'aurait pu être l'un des plants que nous avions piétinés, la semaine précédente, en jouant au football. Je n'ai rien d'un Sherlock Holmes, moi.

— Alan, mais qu'est-ce que tu fais dans le jardin ? Tu es en train de salir tes chaussures.

Sur le perron, maman boutonnait son manteau par-dessus son nouveau tailleur brun-vert. Elle n'était pas contente. Oh là là ! Comment croire que tout ça se passait hier seulement ? Hier matin ! J'ai l'impression que ça fait une éternité.

— Je m'excuse, répondis-je.

— Je t'ai dit de les garder propres. Ton père va vouloir que tu paraisses bien quand vous allez assister à la partie de hockey, ce week-end. Il se plaint toujours que tu t'habilles comme un vagabond.

Merci, papa.

— On ne va pas à la partie de hockey, dis-je. Tu ne te rappelles pas ? Papa a téléphoné pour dire qu'il ne pouvait pas venir.

Maman poussa un juron. Je déteste quand elle jure, parce que ça a habituellement rapport avec papa. Elle claqua la porte de la voiture et s'éloigna, et je cessai de frotter mes chaussures pour essayer de les nettoyer.

Je serais monté avec elle, sauf que son bureau est en direction opposée de l'école. Je lui aurais bien demandé de me conduire… sauf que je ne pouvais pas. Si elle avait dit oui, j'aurais eu l'impression de la déranger, et si elle avait dit non, je me serais senti terriblement malheureux. Mieux valait ne pas demander.

Je me dirigeai vers l'école en me tenant sur mes gardes. Je détestais l'idée que Prudence rôde dans les parages, à surveiller ma maison. Ma maison. (Je repensais à Charles et à ses pantalons sales.) Ça me déplaisait qu'elle ait été là, dans mon jardin, immobile comme une statue, tandis que tombait la nuit. Ça m'agaçait qu'elle ait espionné dans mon salon. Mon salon. J'avais l'impression que quelque chose m'avait été arraché. Ma vie ne m'appartenait plus.

Je ne la vis pas – mais, tout au long du chemin, jusqu'à l'école, je ne pus me départir de l'impression que quelqu'un était là à me guetter. Une fois, je regardai par-dessus mon épaule et je vis, ou du moins je crus voir, une ombre se tapir derrière un arbre. Mon cœur fit la culbute et, juste comme j'allais crier et m'enfuir à toutes jambes, un corbeau émergea de derrière l'arbre en question et, à l'aide de son bec jaune pointu, se mit tranquillement à déchiqueter des détritus.

Mlle Scathely me remit mon ruban de championnat *intra-muros* dans notre salle de classe. Tout le monde applaudit, et je le glissai dans mon manuel d'histoire. Je marchais dans le corridor, quelques périodes plus tard, quand je tombai face à face avec Prudence. Elle aperçut le ruban qui dépassait du livre et tira dessus.

— Très beau, dit-elle sans intonation.

Je la remerciai.

— Tu pourrais le placer sur le manteau de la cheminée, dans ton salon, dit-elle, entre cette horreur de statue équestre et l'horloge qui retarde de cinq minutes.

Elle me rendit le ruban et poursuivit son chemin.

Les yeux rivés sur elle, je la regardai s'éloigner. Ainsi, c'était bel et bien Prudence que j'avais vue. Elle savait à quoi ressemblait notre salon. Je frémissais d'horreur à l'imaginer dans mon jardin, l'œil à la fenêtre, reluquant le cheval en métal ciselé que j'avais acheté à mes parents avec mes allocations, remarquant que l'horloge sur le manteau de la cheminée retardait. Qui sait ce qu'elle avait vu d'autre ?

Mais qu'est-ce que je pouvais y faire ? Je ne pouvais pas la garder à distance en lui faisant peur – Dracula lui-même n'arriverait pas à la terrifier, je pense. Je ne pouvais certainement pas l'intimider, moi. Lui dire, ou plutôt, lui *demander* de cesser de m'épier ? Ouais, formidable ! Et là, de deux choses l'une : ou bien je déguerpirais, ou bien je resterais là pendant qu'elle me rirait au nez ou qu'elle me réduirait en charpie, avec ou sans l'aide de ses amis. Je ne voyais aucune solution valable.

Mlle Scathely ne pouvait m'aider – un prof n'avait pas l'autorité d'ordonner à Prudence de se tenir loin de mon jardin. Seulement la police pouvait intervenir de cette façon-là, et elle n'accorderait aucune attention à la plainte d'un garçon de treize ans contre une fille du même âge.

Je n'eus pas l'occasion de causer avec Miranda avant l'heure de notre période hebdomadaire à la bibliothèque de l'école, juste avant le dîner. J'entrepris alors de lui parler de Prudence, mais elle m'interrompit :

— Je suis désolée de ce que je t'ai dit au téléphone hier soir, chuchota-t-elle. Parler de toi comme si tu étais fou. J'espère que tu n'as pas pris ça trop au sérieux. J'étais préoccupée.

Elle me prit la main. Je l'assurai que je comprenais.

— Chut ! fit la bibliothécaire.

Le concierge entra pour vider les poubelles. Je croisai son regard, par hasard, et lui souris poliment. Il interrompit son travail et me fixa intensément. J'enfouis la tête dans mon livre.

— Il y a quelque chose qui ne va pas ? chuchota Miranda.

— Non, rien.

Après une longue minute, le concierge secoua la tête et sortit. Je respirai de soulagement.

— Pourquoi M. Keenan te fixait-il comme ça ? demanda Miranda.

J'eus un geste d'ignorance et tournai la page. Dieu sait ce dont ce bouquin parlait ! Je n'en avais pas lu un traître mot.

Après la dernière cloche, je restai avec Miranda pour lui dire au revoir. Elle attendait sa mère, qui devait la conduire chez le dentiste. Mon au revoir prit sans doute un certain temps car, lorsque j'arrivai à mon casier, la foule qui se tenait habituellement dans le corridor de l'étage avait déjà commencé à se disperser. Un petit groupe passa près de moi, parlant hockey, puis un autre groupe, parlant coiffure. Des gars. Des filles. Les filles n'arrivaient pas à décider si les Avalanches étaient une meilleure équipe que les Flyers. Les gars s'entendaient pour affirmer qu'une coupe en brosse était préférable à un rasage intégral – et je suis bien d'accord avec eux. Une boule rasée vous donne l'air d'un sale type. Je fis jouer la roulette de mon cadenas d'un tour vers la droite, puis m'arrêtai, d'un tour vers la gauche, puis m'arrêtai.

Le bruit d'une chasse d'eau se répandit comme un écho, long et fort, dans le corridor maintenant désert. Les toilettes des gars se trouvaient deux salles plus loin. Et voilà que tout à coup, peut-être à cause de ce qui s'était passé la veille, un sentiment d'alarme m'envahit. Je m'empressai de composer les derniers numéros de ma combinaison, mais je ne pus ouvrir mon cadenas. Je respirai un bon coup et m'assurai que le dernier chiffre était bien le bon, mais le cadenas résistait toujours. J'eus beau tirer, insister, rien à faire. Je décidai de recommencer depuis le début.

Penchant la tête, je fis pivoter le cadenas, mais là, j'avais l'impression de tout faire au ralenti, comme ça se passe dans les cauchemars. Un tour à droite et on s'arrête sur le chiffre...

Trop tard. La porte des toilettes s'ouvrit, et Victor parut.

— Salut, dis-je trop fort.

J'étais sans doute plus soulagé que lui. Mon cadenas s'ouvrit facilement, cette fois.

Victor scruta nerveusement les deux côtés du corridor avant de s'approcher de moi. Je lui demandai s'il voulait qu'on rentre ensemble, et il tressaillit, comme si je lui avais offert une tarentule vivante.

— Pas question, dit-il tout bas en se hâtant d'enfiler son blouson, les yeux agrandis par la peur.

— Pourquoi pas ?

Sur ces entrefaites, un pet tonitruant éclata tout près de nous. Un coup de tonnerre venant de la droite était considéré comme un mauvais présage dans la Rome antique. Tout comme, semblait-il, dans l'Ontario d'aujourd'hui. Mary se dandina jusqu'à nous et s'arrêta pour me dévisager.

Je mis mon manteau et jetai mon devoir de maths dans mon sac à dos. Il y a des gens qui ont du fil à retordre avec les maths parce qu'ils n'ouvrent jamais leur livre. Ce n'est pas mon cas. Moi, j'arrive à travailler fort et à avoir quand même du fil à retordre.

Mary n'en finissait pas de me dévisager. Ses yeux – je ne les avais jamais remarqués auparavant, par manque de curiosité, et aussi parce que je n'avais jamais été assez proche d'elle – étaient d'un bleu très pâle, presque incolore. Ils me fixaient apparemment sans la moindre intention. J'aurais pu être une pièce de viande sur un étal. Ou une crotte de nez sur le bout de son ongle.

— Tiens, c'est là que tu te caches, Dingwall, dit-elle. On se demandait où tu étais…

Je ne répondis pas. Tournant les talons, Mary s'éloigna lentement le long du corridor. On la suivit des yeux jusqu'à ce qu'elle tourne le coin.

Victor frissonna.

— Faut que j'y aille, marmotta-t-il.

Il me tapota le bras sans me regarder et fila dans la direction opposée, la tête penchée en avant, le bas de son blouson étriqué autour de son derrière. Pauvre Victor !

Chapitre 15

La chute

Les Couguars jouaient au ballon près de la barrière nord. Ils se sont tous retournés pour me dévisager quand je suis sorti de l'école. Je remarquai que Prudence n'était pas avec eux. Mary sourit en me voyant. J'éternuai, et elle s'esclaffa. Puis elle lança le ballon à Larry, d'un jet puissant en rase-mottes. Il le laissa échapper. Elle rit de plus belle. Je me joignis aux traînards qui quittaient le terrain de l'école par l'autre côté.

J'avais honte, mais je ne sais pas pourquoi. C'est par le sud que je serais sorti de toute façon.

Je marchai vers chez moi, tout seul. L'après-midi était frais et gris. Les feuilles, presque toutes tombées mais pas encore ratissées, flottaient en petits amas rouge et or sur les pelouses. D'autres adhéraient au pavage humide, le rendant glissant et multicolore.

Au bas de la rue Forth, je tournai à droite sur King. Dans ce secteur de la ville s'alignent quelques belles maisons anciennes, plutôt délabrées, à côté d'ateliers qui peuvent réparer tant votre aspirateur que votre toiture. Un marchand de bois de charpente, avec ça, les bureaux du journal, et l'usine d'épuration des eaux. Un quartier où on trouve un peu de tout, pourrait-on dire. Les rares voitures garées dans les parcs de stationnement montraient des signes de rouille et de vieillesse. Les trottoirs étaient déserts.

Je connais bien le secteur, puisque je le traverse presque tous les jours d'école. Il n'est pas si mal. Pas vraiment accueillant, mais j'y suis habitué. Vous savez comment c'est. On peut ne pas aimer la petite peste qui vit dans sa rue – celle qui passe son temps à mettre le feu ou à tourmenter les animaux – mais on y est habitué.

Eh bien, cet après-midi-là, je ne sais trop pourquoi, je me surpris à hâter le pas dans la rue King. J'avais la trouille. Je voulais dépasser rapidement ces propriétés aux jardins envahis d'herbes folles, aux fenêtres placardées, aux allées de garage pleines de flaques et d'ornières. J'avais hâte d'atteindre l'autre côté de la rivière, là où les maisons commencent à être plus coquettes et où il y a des gens qui se promènent dehors. Je ne courais pas, enfin, pas tout à fait, mais je ne perdais pas de temps. Je ne rêvassais pas non plus. Je regardais devant moi, je regardais autour de moi, je regardais derrière moi par-dessus mon épaule.

Je ne voyais rien d'insolite, mais je n'arrivais pas à chasser l'intuition qu'une menace planait tout près, attendant le moment de me bondir dessus ou de tomber du ciel. Prudence revêtue d'une cape noire, peut-être. J'essayais de me moquer de mes peurs, mais je ne me sentais pas très rigolo.

Je glissai sur la chaussée, tombai sur le derrière et me relevai tant bien que mal, en proie à la panique. Il n'y avait personne alentour. Je tremblais. Mon cœur cognait à tout rompre. C'est là que j'entendis le bruit – derrière moi. Je me retournai. Une vieille voiture noire à l'échappement bruyant reculait d'une entrée mal entretenue. Une fois dans la rue, elle se mit à rouler vers moi.

Je me mis à courir. Je fonçais à toutes jambes le long du trottoir glissant, mon sac bondissant lourdement sur mon dos. Je regrettais d'avoir apporté mon livre de maths.

La voiture accélérait. On aurait dit un avion qui décollait. J'allongeai encore le pas. Une seule côte à gravir, et j'atteindrais le pont. Je courais à bride abattue, et plus vite encore, mes souliers battant la chaussée, mais le bolide me rattrapait, se rapprochait de plus en plus, et puis... trop tard.

La voiture arriva à ma hauteur et me dépassa. Une vieille dame la conduisait, agrippée au volant, une cigarette pendouillant au milieu de son visage. Elle me sourit, lâcha le volant d'une main pour me saluer, puis s'éloigna en faisant vrombir le moteur.

Je cessai de courir. Il n'était rien arrivé, sauf que j'étais en sueur.

— Norbert, dis-je, je pense que je suis en train de virer fou.

Il ne répondit pas tout de suite.

— Norbert, es-tu là ?

Au bout d'une minute, il éternua.

— *Pardon. Bien sûr que je suis là. Où voudrais-tu que je sois ?*

— Je me sens un peu déprimé. Ça pourrait être un début de rhume.

— *Tu peux me croire : c'est un début de rhume.*

Voilà un nez qui a du nez.

— Miranda va demander à sa mère si je peux venir souper chez elle, demain soir.

— *Elle est chez le dentiste, n'est-ce pas ? Elle va pouvoir cueillir quelques fraises pour en faire un dessert.*

— Des fraises ? De quoi tu parles ?

— *Il y a toujours des fraises chez les dentistes. Sur Jupiter, elles ont un goût très pénétrant. Maintenant, dis-moi, Alan : qu'est-ce qui te fait croire que tu es en train de virer fou ?*

— Oh ! je n'en sais rien. Mais ça ne m'aide pas du tout de te parler.

Le pont de la rue King n'a rien de particulier – deux travées, avec un trottoir surélevé et un parapet tubulaire en métal qui m'arrive environ à la poitrine. Dollarama et usine d'épuration des eaux d'un côté, jolies maisons de l'autre. La rivière est calme, par ici, en été... de l'eau qui clapote doucement entre deux berges gazonnées... des arbres ombreux qui viennent y ployer leurs branches, laissant çà et là échapper quelques feuilles qui dérivent vers l'aval en tourbillons alanguis et gracieux. On peut compter les cailloux sur son lit, ou regarder les herbes vagabondes faire des adieux mélancoliques aux bulles et aux vaguelettes avant d'être happées par le courant.

Je m'arrêtai au milieu du pont pour reprendre mon souffle. La rivière était haute, brune et houleuse ; l'eau courait en bouillonnant comme le convoi fringant d'un train express. Encore une fois, j'ai du mal à croire que c'est seulement hier après-midi que tout ça s'est passé.

Après avoir traversé le pont, je m'apprêtais à poursuivre ma route quand j'aperçus la chienne colley.

Désolé, mais à ce point-ci, ma mémoire faiblit. Je sais qu'il y avait cette bête – était-ce la chienne colley que j'avais vue chez moi quelque temps auparavant ? Peut-être. Je ne saurais l'affirmer. Je revois l'image d'une queue qui s'agite tandis que l'animal court vers moi, gueule ouverte et langue pendante. Je me souviens que Norbert s'est énervé, qu'il lui a crié après, qu'il m'a dit de me pousser de là ; mais la chienne fonçait sur moi, bondissant, aboyant sauvagement, et je me suis retrouvé coincé, avec nulle part où aller. Je me rappelle la bête qui sautait, la rivière qui déferlait sous le pont... Et puis... et puis...

Et puis... mes yeux vers le haut... je voyais le ciel. Oui, je sais que je voyais le ciel.

Attendez, ça me revient. Le ciel bougeait rapidement, comme la rivière, à la différence que la rivière était brune et que le ciel était gris, tacheté de bleu. La rivière se rapproche, dans mon esprit. Je suis là à regarder le ciel, mais la rivière se rapproche. Derrière moi, les aboiements de la chienne s'estompent, comme la musique provenant de l'intérieur d'une auto qui passe.

Je dégringolais. Est-ce pour ça que je regardais vers le haut ? Il me vient une image d'eau qui se soulève pour venir à ma rencontre. Une eau brune et impétueuse. Et je me rappelle une sensation d'horreur totale avant de sombrer dans le noir.

Mais ce n'était pas l'eau qui me terrifiait. J'aurais sans doute dû m'en méfier. Chaque année, on entend parler de jeunes qui tombent dans la rivière et se noient. Des écriteaux nous avertissent du danger, la radio émet des mises en garde. À l'école, on recommande aux élèves de se tenir loin des ruisseaux et des rivières en crue. J'aurais dû craindre de me noyer, d'être emporté au loin par la puissance du courant.

Cependant, ce n'était pas ça qui me faisait peur. Il y avait autre chose. Une voix. C'est bien ça. Une voix dans mon oreille tandis que je dégringolais. Une voix à laquelle j'avais dû m'attendre puisque l'horreur que je ressentais n'était pas accompagnée de surprise. La voix produisit un horrible petit rire, directement dans mon oreille, et je songeai : « Bien sûr. Bien sûr. » Et là, je fus englouti.

— Je te tiens ! dit la voix, pendant que je m'étouffais avec l'eau sale qui rugissait autour de moi. Je te tiens, là, Dingwall.

C'était la voix de Prudence.

Chapitre 16

Prudence

J'ai mal à la tête. J'ai faim. J'ai soif. Et j'ai encore le nez bouché. J'allonge la main au-dessus de mon lit d'hôpital pour prendre mon verre de ginger ale sur le plateau roulant. Tiède, bien sûr, et pas trop pétillant, mais chaque gorgée me fait du bien. Je me demande quand mon dîner va arriver.

Mes parents, toujours assoupis, produisent leurs ronflements stéréophoniques. Je bâille. Quelle heure est-il donc ? Il fait clair dehors. La journée s'annonce ensoleillée.

Angela l'infirmière entre en souriant et me demande comment je me sens.

— Pas mal, dis-je.

— Tu as l'air mieux, remarque-t-elle. Tina, l'infirmière de nuit, m'a dit que tu n'avais pas eu trop de douleur. Elle voudrait que tous ses patients soient aussi faciles que toi.

Tout en parlant, elle prend ma température, mesure ma tension artérielle et retape mon lit. Les infirmières, c'est comme les barbiers, elles peuvent travailler tout en placotant.

— As-tu été aux toilettes ?

Je fais oui de la tête.

— J'ai été capable tout seul.

— As-tu été à la selle ?

— Quoi ?

— Quand tu étais aux toilettes, explique-t-elle. As-tu seulement uriné ou…

Je m'empresse de répondre :

— Seulement uriné.

Elle n'est pas gênée, mais moi si.

— Ça fait un bon moment que je n'ai pas mangé de nourriture solide.

— Tu n'as pas eu ton goûter ? La docteure l'avait commandé, pourtant. Les services alimentaires ont dû se tromper. Il est sans doute trop tard pour un goûter, à l'heure qu'il est, ajoute-t-elle en regardant sa montre, mais je vais voir ce qu'ils ont dans les cuisines. Ça te convient ? Serais-tu capable d'avaler un dîner si j'allais t'en chercher un ?

— Je mangerais n'importe quoi.

Si j'ai l'eau à la bouche en pensant à la bouffe fade de l'hôpital, c'est que je dois aller mieux.

Angela sort deux couvertures de la penderie et en couvre mes parents endormis. Ils ne font pas partie de ses responsabilités, mais elle en prend soin. C'est une infirmière, c'est plus fort qu'elle. Elle passe la porte avec un sourire et un signe de la main. Quelques minutes plus tard, j'entends un chariot avec une roue grinçante et je commence à saliver. Le réflexe de Pavlov fonctionne avec les patients des hôpitaux.

Sauf que ce n'est pas la nourriture qui arrive, mais la femme de ménage. Elle me salue, secoue la tête en apercevant mes parents et vide la poubelle.

— Merci, lui dis-je, mais elle a déjà quitté la chambre.

La visiteuse suivante est une femme médecin. Je ne l'ai pas encore vue, celle-là.

— Allô... heu, Alan, dit-elle. Je suis la docteure Mitchell.

Elle ne paraît pas très vieille – on dirait plutôt une gardienne d'enfants.

— Tu dois être fatigué, dit-elle.

Je suis fatigué mais, savez-vous ?, elle l'est encore plus que moi. Elle jette un regard d'envie à mes parents. Elle ne peut retenir ses bâillements tandis qu'elle m'examine. Je n'ai pas besoin d'enlever ma jaquette d'hôpital, grâce au ciel. Elle passe le stéthoscope dessous, sur ma poitrine, puis le fait glisser jusqu'au dos. Elle me scrute ensuite les yeux avec sa minilampe.

— Ne fixe pas la lumière, dit-elle en bâillant. Regarde à côté.

J'essaie.

Après son départ, je me renfonce dans mes oreillers et j'écoute mes parents rattraper le retard qu'ils ont sur leur sommeil. Je m'ennuie. Je n'ai pas eu de nouvelles de Norbert depuis un long moment. Je chuchote son nom, mais il ne répond pas.

Angela revient, portant un plateau.

— Il ne restait plus de goûters, alors je t'ai fabriqué un dîner avant l'heure.

Je la remercie. Du lait, un sandwich au jambon garni d'un cornichon sucré, un muffin et, à côté, un bol de…

— Euh, c'est quoi ça ?

— Des pruneaux, dit-elle.

Je fais la grimace. Des anticonstipants, voilà ce que c'est.

— Est-ce que je suis obligé de les manger ?

Elle secoue la tête et sort de la chambre en souriant. Je repousse le bol. Délicieux, ce repas. Le lait est tiède et le cornichon est caoutchouteux, mais peu importe. Je le remarque à peine. C'est de la nourriture, et c'est formidable.

Mes parents se réveillent en même temps. Ils me disent bonjour, puis, d'un ton tranquille où perce une politesse crispée, ils se mettent à s'obstiner. C'est à qui ira à la salle de bains en premier. J'essaie de ne pas y porter attention. Je continue à manger, mais la bouffe ne goûte plus aussi bon qu'il y a un moment.

— Moi, ça va très bien, répète papa pour la troisième ou la quatrième fois. Vas-y, ma chère. Je sais que tu veux te peigner et te rafraîchir pour Alan.

— Merci, mon cher, mais vraiment, c'est toi qui devrais y aller. Après tout, tu as été obligé de passer la nuit à l'hôpital.

— Et toi, tu t'es tapé un aller-retour entre ici et Cobourg. Tu dois être exténuée. Vas-y donc…

— Je me sens très bien, merci.

J'ai tout mangé, sauf les pruneaux. Je repousse le plateau. Une femme médecin entre dans la chambre, celle d'hier dont je ne connais pas le nom.

— Salut, Alan, dit-elle. Comment te sens-tu ?

Je lui dis que je me sens très bien.

— La nourriture était délicieuse.

— Et où en sont tes souvenirs de la journée d'hier ?

J'hésite une seconde.

— Je me rappelle tout ce qui est arrivé jusqu'au moment où je suis tombé à l'eau, dis-je. Mais après ça, c'est un trou noir.

— C'est formidable ! J'ai connu des joueurs de football qui, après une commotion, ne se souvenaient même pas du match. Toi, tu te rappelles jusqu'au moment où tu as perdu connaissance. Peut-être n'y a-t-il rien d'autre à te rappeler. Tu n'avais plus la moindre réaction lorsque tu es arrivé à l'hôpital de Cobourg. C'est inscrit sur le rapport que j'ai ici.

Je secoue la tête, qui me fait encore un peu mal.

— Je sais qu'il y a autre chose, dis-je. Je peux voir – en tout cas, presque voir – un bras. Et je sens qu'il tirait.

Je me souviens aussi qu'il me faisait mal.

La docteure fait un petit signe de tête approbateur.

— Ta copine a dit aux médecins que tu essayais de parler quand elle t'a tiré hors de la rivière, mais je ne sais pas à quel point tu étais conscient. Il est possible que ça ait été davantage comme un rêve, pour toi.

Maman renifle. Papa a l'air solennel. Je fronce les sourcils en pensant à Miranda. Il y a quelque chose que j'ai oublié. J'essaie de l'imaginer qui me tire de l'eau et je n'y arrive pas. Il y a un voile entre moi et ce qui est arrivé hier. Un voile qui obstrue mon esprit, et que je ne n'arrive pas à faire lever.

— Je vais te signer ton congé, dit la doc. Cet après-midi. Va-t'en chez toi et prends du repos. Peux-tu me promettre de faire ça ?

Son regard fait la navette entre moi et mes parents. Nous acquiesçons. Je ne sais pas pourquoi papa acquiesce. Ce n'est pas chez lui que je m'en vais.

La docteure pointe un index sévère.

— Je te défends toute activité physique qui demande un effort, dit-elle. Je suis très sérieuse. Pendant les deux ou trois prochaines semaines, tu ne t'engages dans aucun sport de contact. Est-ce que c'est bien clair, Alan ? Oublie aussi les échelles ou les voyages à Disneyland. Et si tu as des étourdissements, des problèmes d'équilibre ou des vomissements, file tout droit à l'hôpital. Promis ?

Je fais oui. Elle poursuit :

— À mon avis, cependant, il n'y aura pas de problème. Je pense que tu vas très bien.

Elle referme le dossier en souriant.

— Entre-temps, conclut-elle, tu peux rentrer chez toi et dormir.

Quelque chose me tracasse encore, et ce ne sont pas les étourdissements.

— Docteure, est-ce que je vais finir par retrouver toute ma mémoire, un jour ?

— Il se peut qu'il n'y ait pas grand-chose à retrouver. On ne se souvient pas toujours d'un rêve, même s'il est très frappant. Et, de toute façon, ce n'est sans doute pas un souvenir très heureux. Il vaudrait peut-être mieux pour toi de ne jamais te le rappeler. J'aimerais pouvoir oublier mon dernier rendez-vous chez le dentiste, fait-elle en souriant.

— **Bingo** ! m'écrié-je.

— Quoi donc ? fait-elle, étonnée.

— Un rendez-vous chez le dentiste ! Miranda avait un rendez-vous chez le dentiste, hier. C'est impossible qu'elle soit revenue de l'école avec moi.

Quand on parle du loup… Sur ces entrefaites, on toque à la porte, et voilà Miranda qui entre dans la chambre. Mais elle n'est pas seule. Prudence l'accompagne. Prudence, les cheveux bien coiffés sous un petit béret, qui porte des vêtements propres : veste de cuir et jean bleu. Elle paraît bien. Même avec l'anneau piqué dans ses sourcils et sa grosse chique de gomme à mâcher, elle est jolie.

Miranda, bien sûr, paraît spectaculaire, avec ses yeux gonflés, ses cheveux décoiffés et le collet de sa veste tout chiffonné. Spectaculaire, oui.

— Alan, dit-elle en accourant pour me prendre la main. Comment te sens-tu ?

— Bien, dis-je.

— Je t'ai téléphoné hier soir, et ça ne répondait pas. Prudence m'a raconté ton accident, ce matin, avant que l'école commence, et j'ai… tu es sûr que tu vas bien ?

Prudence reste là, les mains sur les hanches, à faire claquer sa gomme.

Maman la dévisage avec une insistance pas très amicale. Prudence fait comme si elle ne la voyait pas. Papa se déplie pour avoir l'air plus grand, et il se passe la main dans les cheveux pour les lisser. Prudence fait comme si elle ne le voyait pas, lui non plus.

Ma mère s'adresse à Miranda :

— Tu dois être la jeune fille à qui j'ai parlé au téléphone. Ça me fait plaisir de te connaître, dit-elle. J'apprécie l'intérêt que tu portes à la santé d'Alan. Où est ta mère ? Est-elle en train de garer sa voiture ?

— Non, madame Dingwall, dit Miranda en se redressant. Prudence et moi, nous avons pris le train de neuf heures ce matin, à Cobourg.

Je fixe Prudence. Le voile se soulève doucement dans mon esprit. J'aperçois des parcelles de ce qui est arrivé hier. Prudence. Ses mains qui m'agrippent solidement ; les muscles de ses bras qui se tendent pour tirer. Prudence.

Ma mère et mon père sont en train de dire à Miranda qu'elle n'aurait pas dû venir toute seule dans une grande ville comme Toronto. Ne sait-elle pas à quel point c'est dangereux ? Elle n'a que treize ans. Elle devrait appeler ses parents tout de suite, ils doivent être si inquiets. Et, bien sûr, elle devra faire le voyage de retour avec ma mère et moi.

Personne ne semble trop inquiet au sujet de Prudence. Personne ne lui dit qu'elle devra monter dans la voiture avec nous, elle aussi, pour rentrer à Cobourg.

Miranda sourit à mes parents sans rien dire. À sa manière, elle est aussi têtue que Prudence. Elle sait ce qu'elle veut et prend ses propres décisions. Elle serre ma main ; et moi, la sienne. Et en même temps je pense : « Pas surprenant que j'aie l'impression d'avoir les épaules disloquées. Pas surprenant que je sois couvert de contusions. Ces bleus n'ont pas été causés seulement par les pierres sur le lit de la rivière, les branches, les souches ou l'eau déferlante, mais aussi par les mains incroyablement fortes de Prudence. »

Prudence m'a sauvé. Le voile qui obstruait ma mémoire se lève, et je la vois maintenant… son visage à trois centimètres du mien, ses cheveux dégoulinants. Je suis étendu sur la berge de la rivière et je crache de l'eau. Elle me couvre de son manteau et elle s'en va. Sa silhouette rapetisse à mesure qu'elle s'éloigne… puis disparaît.

Et j'ai disparu, moi aussi, pour me réveiller dans ce lit d'hôpital avec ma mère à mon chevet.

J'essaie d'attraper l'œil de Prudence pour la remercier. Son regard me fuit.

La docteure feuillette mon dossier.

— Prudence Armstrong, dit-elle. C'est toi qui as trouvé Alan… c'est bien ça ? C'est toi qui l'as tiré hors de la rivière et appelé l'ambulance ?

Prudence la regarde, fait oui de la tête.

— Je suis contente de faire ta connaissance.

Elles échangent une poignée de main, puis la docteure m'envoie un petit salut et quitte la chambre.

Dieu merci, mes parents se taisent. Ils regardent Prudence, bouche bée, l'air mal à l'aise. Je veux qu'ils… je veux que mon père la remercie. Je veux qu'il lui dise : « Merci d'avoir sauvé mon fils. » Il n'en fait rien.

Mais quelqu'un devrait le faire. Alors je dis :

— Merci, Prudence.

— Ne me remercie pas, dit-elle en secouant la tête. Je ne suis pas venue ici pour me faire remercier.

— Pourquoi es-tu venue, alors ? demande ma mère.

— Je suis venue pour m'excuser, déclare Prudence.

Chapitre 17

Un miracle, un vrai !

— Pourquoi ? demandons-nous en chœur.

Mais c'est vers moi qu'elle se tourne pour répondre.

— De t'avoir espionné. D'avoir menacé de te battre. D'avoir été une brute. Je suis désolée, Alan. J'ai déjà parlé aux autres Couguars. On va cesser de te persécuter. En fait, on n'embêtera plus personne.

À l'extérieur, la vieille année se meurt et se prépare pour l'hiver. À l'intérieur de la chambre d'hôpital, une ère nouvelle est en train de voir le jour. J'essaie de trouver une réponse bien tournée, qui manifeste de la maturité.

— Hein ?

C'est ce qui sort de ma bouche.

Prudence baisse les yeux vers le sol.

— En fait, Mary et Gary vont peut-être encore essayer de te harceler. Ce sont des vauriens – comme je l'étais aussi jusqu'à hier. Je leur ai promis qu'ils auraient affaire à moi s'ils recommençaient – ça suffira peut-être à les faire tenir tranquilles. Mais ils sont méchants. Méchants et enragés.

— Oh ! les pauvre choux ! dit ma mère, et Prudence la regarde sans comprendre.

— Si ce n'est pas une question trop difficile, dis-je, comment as-tu, euh, décidé… eh bien…

— De faire un tel virage ? fait-elle en souriant.

Autre différence, ça. La Prudence d'avant ne souriait jamais.

— C'est ça que tu demandes, Alan ? Qu'est-ce qui est arrivé pour que je décide de cesser de faire du mal aux autres ? De les menacer ? De les terroriser ? Qu'est-ce qui m'a donné envie de passer du côté des bons gars ? C'est ça ?

— Heu, oui.

Elle semble sereine et un peu pensive.

— Me croirais-tu si je te disais que j'ai entendu une voix qui venait du ciel ? Et qui me parlait ?

Personne ne réagit, et elle enchaîne :

— En partant de l'école, hier, je suis allée t'attendre près de la rivière, Alan. J'avais ma bicyclette et j'ai pris un peu d'avance sur toi. Ça faisait quelques jours que je t'espionnais, comme ça. M'as-tu vue, avant-hier soir, dans ton jardin ?

Je fais signe que oui.

— C'est bien ce que je pensais. J'ai pris le large en vitesse, mais je me demandais si j'avais été assez rapide. En tout cas, après l'école, hier, j'ai roulé jusqu'au pont de la rue King – c'est ta route habituelle pour rentrer chez toi. J'étais à l'intérieur du Dollarama, en train de feuilleter un magazine, quand je t'ai vu descendre la côte. J'ai fait le tour du magasin en courant, pour reprendre ma bicyclette, et c'est là que tu es tombé.

— Oh non ! oh non ! gémit ma mère, tout bas.

— Je ne suis pas tombé. J'ai trébuché sur cette chienne.

— Oui, la chienne colley, fait-elle en plissant le front. Elle n'est pas à toi, hein, Dingwall ? Je n'ai pas pensé à ça.

— Non, dis-je. Elle n'est pas à moi.

— Elle n'avait pas de collier, tu vois.

Un chariot grince le long du corridor et entre dans la pièce. Le préposé qui le pousse est un garçon de chambre – pas le même que ce matin. Il prend mon plateau vide et ressort. Prudence poursuit :

— J'ai couru jusqu'à l'eau. Je ne sais pas ce que j'avais l'intention de faire. Ça me faisait plutôt plaisir que tu sois dans de mauvais draps.

Elle se tourne vers moi, rougissante. Une autre première.

— Désolée, mais c'est comme ça que je me sentais. Je me disais : « Ouais, il a ce qu'il mérite. » Je me sentais puissante, comme si c'était moi qui commandais la vengeance du ciel pour te punir de nous avoir insultés, moi et mon équipe, et d'avoir cassé le nez de Gary.

— Alan ! gronde ma mère, mécontente. Tu as cassé le nez de quelqu'un ?

— Fiston ? s'enquiert mon père, et je n'arrive pas à déterminer s'il est content ou pas.

Je hausse les épaules.

— Tu gisais dans l'eau, dit Prudence, et tu commençais à dériver. C'est alors que j'ai entendu une voix. Je ne sais pas comment je pouvais en être sûre, mais je savais que c'était un ange. « Sauve-le », disait-il.

Elle sourit à ce souvenir.

Je ne peux trouver qu'une seule explication, alors je demande :

— Est-ce qu'il avait une voix grinçante et haut perchée, ton ange ?

— Non, c'était une voix profonde. Et elle était juste à côté de moi, tiède et forte et un peu… mouillée. Très vivante ! Je ne pensais pas que la voix des anges puisse sembler aussi vivante, aussi réelle. Celle-là, presque dans mon oreille, me disait : « Sauve-le et sauve-toi toi-même. » Et elle m'a appelée par mon nom. « Sauve-toi toi-même, Prudence. » Je ne sais pas de quoi je me sauvais. J'ai tourné la tête, et il y avait la chienne, juste là. Tu es sûr qu'elle n'est pas à toi ?

— Elle n'est pas à moi, dis-je. Elle me fait trébucher, c'est notre seul lien.

— Minute, intervient Miranda, le front plissé. Es-tu en train de dire, Prudence, que c'est la voix de la chienne que tu as entendue ? Tiède et mouillée et tout ça ? La chienne serait, en réalité, un ange ?

— Je ne sais pas, avoue Prudence. Je sais seulement que je l'ai entendue.

Debout, là, à côté de moi, une fille tout à coup très chouette. Prudence. Un miracle, un vrai.

— En tout cas, avant même de vraiment comprendre ce que j'étais en train de faire, je me suis mise à courir dans la rivière et à patauger dans l'eau pour t'attraper.

Au rappel de ce souvenir, mes bras, couverts de bleus, se mettent à m'élancer.

— Merci, dis-je encore une fois.

Cette fois, mes parents la remercient également. Prudence détourne le regard. Mon père s'avance vers elle, la main tendue. La poigne solide de Prudence le fait grimacer.

Voilà Angela, l'infirmière. Sans son thermomètre et son appareil pour prendre la pression, on dirait presque qu'elle est toute nue. Elle a tout de même sa planchette à pince.

— Il y a quelques formulaires à remplir, après quoi Alan pourra rentrer à la maison, dit-elle à mes parents.

Ils la suivent hors de la chambre, pour aller s'obstiner à savoir lequel des deux devrait signer les formulaires. Mon père plie et déplie encore les doigts de sa main droite.

— Tes parents sont bien, me dit Prudence.

Dit-elle cela sincèrement ? Je n'ai jamais rencontré ses parents, à elle. Si elle est sincère, je ne pense pas vouloir les rencontrer.

— Y croyez-vous, à mon ange ? nous demande Prudence.

Je ne sais que répondre.

— Je crois qu'on peut entendre des voix, lui dis-je. Ça m'arrive aussi, parfois.

Elle hoche la tête.

— C'est drôle que tu m'aies demandé si c'était une voix grinçante. En fait, après t'avoir tiré jusque sur la berge, je t'ai fait basculer sur le côté, et une grande quantité d'eau est sortie de ton nez et de ta bouche. Et une voix différente, grinçante et haut perchée, a dit : « Merci. » Sur le coup, j'ai pensé que c'était toi, Dingwall. Comme quand tu parles sans bouger les lèvres, tu sais ? Mais j'ai dit ton nom, et tu n'as pas répondu. À entendre ainsi des voix quand il n'y en avait pas, j'ai pensé que je devenais folle. Ça m'a mise en colère pendant un moment. Ce « merci » me rappelait les insultes que tu m'avais balancées pendant le match de soccer. J'ai même été tentée de te repousser dans la rivière... seulement, je ne pouvais pas, bien sûr. Pas après t'avoir repêché.

— Non, dis-je faiblement.

— Alors, c'était peut-être un autre ange qui me parlait.

— Peut-être. Ou un nez, qui sait ?

— Tu dis ?

— J'ai dit, qui sait ?

Les filles quittent la chambre pendant que je me change. Maman a apporté de la maison un sac plein de vêtements propres, y compris un caleçon. Bleu, cette fois, au cas où ça vous intéresse. C'est une journée venteuse et ensoleillée – à ce que je peux voir par la fenêtre de ma chambre, qui, soit dit en passant, donne sur le conteneur à déchets. Je ne comprends pas pourquoi tout le monde a passé autant de temps à le contempler, pendant la nuit.

Maman a décidé qu'on rentrerait à Cobourg tous ensemble. Elle, les filles et moi.

Papa ne nous accompagnera pas, car il doit retourner à sa réunion, à Vancouver.

— Je vais revenir bientôt, promet-il. Peut-être qu'on pourra aller à un match de hockey. Ou de basket-ball. Tu suis ça, le basket ?

— Parfois, lui dis-je.

Nous sommes dehors, dans un stationnement venteux. Les filles sont déjà assises sur la banquette arrière de la voiture. Debout du côté du chauffeur, maman nous regarde, son manteau battant au vent.

— Eh bien, Alan, je suis content que tu te sentes mieux. J'étais réellement inquiet, tu sais, me dit papa.

— Ouais, dis-je.

On se regarde pendant une minute. Ma mère m'invite à me dépêcher.

— Eh bien, salut, fiston, dit papa.

Il étend le bras, avec un peu d'hésitation, et pose la main sur mon épaule. Il la retire au bout d'une minute, puis se détourne et s'éloigne. Il ne va pas me dire que je lui manque, ou qu'il pense à moi, ou qu'il m'aime. Il ne va rien me dire de tout cela.

Prudence a raison. C'est un type bien. Mais est-il cela, seulement ? Bien ? Un parent ne devrait-il pas être plus que ça ? Est-ce qu'un père ne devrait pas être davantage qu'un type bien ?

— Je t'aime, papa, dis-je.

Mais le vent fouette mes paroles et les disperse. Mon père ne m'entend pas, ne se retourne pas.

Chapitre 18

Une voix oubliée

Pendant une semaine, je continue d'avoir mal à la tête sous mon pansement. Je reste à la maison à me reposer, entouré d'oreillers, de disques compacts et de vidéos de location. Victor vient faire son tour presque tous les jours après la classe pour me dire combien de devoirs j'aurai à rattraper quand je finirai par revenir à l'école. Mme Grunewald parcourt la distance entre chez elle et chez nous pour venir me dire que je suis un gentil garçon et m'apporter un gâteau qu'elle a confectionné elle-même. Miranda me téléphone chaque soir. Ce ne serait pas si mal, comme vie, sans ce mal de bloc, mais même cela finit par disparaître. Une fois mon pansement retiré, je suis comme neuf.

Je m'examine dans le miroir de la salle de bains. On est mercredi après-midi. Demain, ce sera le retour à l'école. Seulement deux jours d'ici la fin de semaine. Ma tête paraît plus petite. Je m'étais habitué à la voir enturbannée de blanc. Mes cheveux ont allongé un peu et ils sont complètement hirsutes, ce qui me fait une tête d'épouvantail. Et puis j'ai l'air – je ne sais trop comment dire – plus vieux. Je sais que je suis plus vieux, j'ai vieilli de toute une semaine, mais ce que je veux dire, c'est que j'ai l'air d'avoir vieilli plus que ça... comme si j'étais quasiment devenu adulte... comme si j'étais prêt à passer mon permis de conduire, à me faire la barbe et à chercher un emploi. Ce sont mes yeux, surtout. Ils ont l'air d'en avoir vu pas mal.

Puis ma mère toque à la porte et entre. Elle pose un baiser sur le dessus de ma tête.

— Tu te sens mieux, mon petit trésor chéri ?

Elle m'appelait comme ça quand j'étais petit.

— Hum, hum, dis-je.

— C'est bon de te voir sans cet affreux pansement. Pourquoi ne pas te laver la tête, hein ? Tu veux que je te fasse couler un bain ? Avec de la mousse, peut-être ?

— D'accord.

— Tu pourrais jouer avec la grenouille en plastique qui nage d'un bout à l'autre de la baignoire.

— D'accord.

Il faut croire qu'aux yeux de maman je n'ai pas l'air tellement plus vieux qu'avant.

— N'oublie pas de te rincer à fond, me recommande-t-elle.

Je sors de la baignoire, je passe des vêtements propres et je descends au rez-de-chaussée, où maman enfile son manteau.

— Il faut que j'aille au bureau pour un petit bout de temps. Tu vas pouvoir rester tout seul sans problème ?

« Pour un petit bout de temps », c'est toujours ça qu'elle dit. « Je m'absente pour un petit bout de temps. » « Je serai prête à partir dans un petit bout de temps. » « Je reviens dans un petit bout de temps. » Le petit bout de temps dure tantôt une heure, tantôt davantage. Quand elle a promis de recoudre le jean que j'avais déchiré, le petit bout de temps s'est étiré jusqu'à deux mois.

— Ça va aller, dis-je.

Il y a quelque chose que je me suis promis de faire. Il est dix-sept heures à Cobourg, quatorze à Vancouver. J'appelle mon père à son bureau. Je veux que ce soit un coup de téléphone d'affaires.

J'y ai réfléchi pas mal. Je ne peux pas changer les sentiments que papa et maman éprouvent l'un pour l'autre. Je ne peux pas espérer qu'ils se réveillent et qu'ils se mettent tout à coup à s'aimer – qu'ils reprennent la vie commune pour que j'aie de nouveau de vrais parents et que les choses reviennent à ce qu'elles étaient avant le départ de papa. Je ne peux pas les changer en tant que personnes. Je ne peux pas transformer papa en un père aimant et affectueux. Il est bien. Je lui tiens à cœur. C'est tout ce que j'aurai jamais comme père.

Je ne peux pas l'amener à me serrer dans ses bras, mais il y une chose que je peux faire : lui dire à quel point il compte pour moi, combien je l'aime. S'il était dans les parages, je pourrais lui parler en personne. Mais il n'est presque jamais là. J'ai un papa qui vit au loin, alors c'est au téléphone que je vais lui dire tout ça. Et je vais le faire là tout de suite, parce que, si je remets ça à plus tard, il sera rendu encore plus loin, si ça se trouve.

— Allô ? dis-je dans le combiné. Pourrais-je parler à mon père, s'il vous plaît ?

— Un instant, je lui passe la communication, répond Mme Hertz, sa secrétaire.

Je l'ai déjà rencontrée, Mme Hertz. Son nez bouge tout le temps. Je prends une profonde inspiration et je presse le combiné contre mon oreille.

— C'est toi, fiston ? demande mon père.

— Oui, papa.

— Alan ?

Comme s'il avait des tas d'autres fils.

— Moi-même, dis-je.

— Il se passe quelque chose ? Tu vas bien ? Et ta mère ?

— Tout va bien, papa. Et toi, de ton côté ?

— Ça va, ça va. Je ne peux pas me plaindre. Eh bien, ma foi… tu parles… on dirait un adulte. Comment te remets-tu ? Et Helen, elle est bien ? Que je suis content d'entendre ta voix, fiston !

— Moi aussi, papa, je suis content de t'entendre.

— Et j'aimerais bien… euh, poursuivre la conversation, Alan, mais j'ai une réunion qui commence dans quelques minutes. C'est un jour ouvrable, tu sais. Alors, j'ai bien peur…

— Attends !

C'est un cri que j'ai poussé dans le téléphone. Un silence s'ensuit.

— Avant que tu raccroches, papa, laisse-moi juste te dire : je t'aime.

Un autre silence.

— Voilà. C'est tout.

Un silence, encore.

— À un de ces jours. Salut, papa.

— Attends !

Son ton trahit maintenant une profonde émotion.

— Oui, papa ?

— Attends une seconde. Moi aussi, je t'aime, fiston. J'espère que tu le sais. Tu es mon fils, et je vais toujours t'aimer. Est-ce que tu le sais, ça ?

— Bien sûr, papa.

— Je regrette de vivre aussi loin. Ta mère et moi… eh bien, on ne s'entend pas, mais ce n'est pas ta faute. C'est notre faute. Quand tu seras plus vieux, tu comprendras davantage.

— Bien sûr, papa. Je ne veux pas te mettre mal à l'aise, comme ça, au bureau. J'aurais voulu te dire à quel point je t'aime, l'autre jour, à l'hôpital, mais je me sentais tout moche, et on aurait dit que ce n'était jamais le bon moment. Mais je me sens mieux, maintenant. En fait, je retourne à l'école, demain.

— Formidable, fiston. Merveilleux. Je suis content. Arrange-toi pour être gentil avec tes petites copines, ces deux filles qui ont pris le train pour venir te voir. Elles ont l'air de te trouver pas mal à leur goût.

— Ouais. Euh, il faut que je raccroche, là, papa.

Ma peau se resserre sur mon visage à mesure qu'il devient plus chaud et plus rouge. C'est de bonne guerre, je suppose. Je l'ai mis mal à l'aise, et il me rend la monnaie de ma pièce.

— Je suis content que tu m'aies téléphoné, fiston. Tu pourrais me rappeler, un de ces jours.

— Peut-être, dis-je, et on raccroche en même temps.

On sait fort bien, tous les deux, que je ne vais pas le rappeler et qu'il n'en sera pas tellement déçu.

Lorsque maman rentre du travail, elle se demande si je me sens bien. Elle me trouve l'air un peu fiévreux. J'ai les yeux rouges et gonflés.

Je l'assure que je vais bien.

Je m'arrange pour arriver chez Victor de bonne heure, le lendemain. Je ne tiens pas à être en retard le premier jour de mon retour en classe. C'est un matin clair et frisquet, où le soleil se reflète sur le frimas. Nous n'avons pas encore eu de neige, mais c'est pour bientôt, ça se sent. La mère de Victor ne veut pas me laisser aller à l'école à pied.

— Veux-tu me dire à quoi tu penses, jeune insensé ! gronde-t-elle, mais d'une voix pleine de gentillesse.

Elle se tient dans l'embrasure, et je hume, émanant de la cuisine, un arôme que je connais bien, une ensorcelante odeur de crêpes aux bleuets.

— Bien sûr que mon homme va vous reconduire, Victor et toi. Il ne part pas avant quelques minutes, alors tu as le temps de prendre une bouchée.

Victor et son père se disputent en mangeant. Un plat de crêpes et un pichet de sirop trônent sur la table, ainsi qu'une assiette propre pour moi.

— Merci, madame Grunewald. Merci beaucoup.

Les céréales Capitaine Crunch ne sont pas mal, mais ça ne se compare pas avec des crêpes maison.

M. Grunewald veut que Victor aille travailler avec lui le soir après l'école. Le supermarché a besoin de bras pour emballer les provisions et garnir les étagères.

— Voilà une occasion formidable pour toi, dit-il. Accepte donc. C'est seulement pour quelques semaines à l'approche de Noël, un temps où on est vraiment occupés.

Mais Victor ne veut pas en entendre parler.

— Oh ! papa, je déteste travailler au magasin. Il faut porter un tablier idiot, et ces légumes, vraiment, ils empestent.

— Je ne sais pas, Victor, dis-je, la bouche pleine de crêpe. Moi, je la trouve intéressante, cette offre.

— Tiens, tu vois! Notre ami Alan pense que c'est une bonne idée.

— Donne-lui l'emploi, dans ce cas-là! dit Victor. Pas question que je pue les oignons.

M. Grunewald repousse son assiette. C'est l'heure de partir. Je me lève.

— En fait, dis-je, j'aime bien l'odeur des oignons.

M. Grunewald me reluque un moment, puis il se lève de table et pose sa main sur mon épaule.

— Bravo pour toi, dit-il.

Puis on s'entasse tous les trois dans le camion de livraison et on roule vers l'école.

Jamais je ne m'étais rendu compte que tant de gens m'aimaient. La cour d'école est bondée lorsque nous y arrivons, et tous les élèves viennent me serrer la main ou me taper dans le dos. Tout le monde a l'air content de me voir – pas seulement mes camarades de classe, mais même des élèves que je connais à peine, des jeunes que j'ai aperçus à la cafétéria, ou au magasin de bonbons, ou encore au centre commercial. Je suis une célébrité. Ça me fait penser au gars qui était tombé, l'an dernier, pendant une excursion en forêt, et qui avait été retrouvé deux ou trois jours plus tard, vivant, mais avec une jambe cassée. Un gars de huitième. J'avais signé son plâtre, comme le reste de l'école. J'ai déjà oublié son nom.

Miranda me tient la main – une expérience qui se situe quelque part entre le très agréable et le très gênant. Je remarque que personne ne rit. Prudence sourit, mais pas de nous voir main dans la main. Elle sourit parce que son idiote de chienne sautille après moi et me lèche la figure, si bien que je trébuche et manque de m'affaler par terre.

Déjà, le sourire sur le visage de Prudence semble faire partie d'elle.

— Je l'ai baptisée Angel, m'annonce-t-elle.

L'animal n'en finit pas de bondir autour de moi.

— À terre, Angel ! ordonne Prudence.

La chienne ne l'écoute pas et continue de gambader. Tout le monde se marre.

— Au secours, dis-je. Débarrassez-moi de cette bête !

L'animal ne veut pas me lâcher. Miranda et Prudence jacassent ensemble, sans s'occuper de moi. Et Victor, où est-ce qu'il se cache, celui-là ?

— Au secours ! dis-je encore une fois.

Et là, pour la première fois depuis belle lurette, voilà que j'entends une petite voix haut perchée que j'avais oubliée :

— *Comme ça, tu as bel et bien besoin de moi, après tout !*

Chapitre 19

L'heure est venue

— Norbert ! dis-je.

— *Tu attendais Peter Pan ?*

— Où étais-tu passé ?

Je ne peux pas dire que Norbert m'a manqué, disons, activement – en fait, ma vie a été remplie de choses à faire, et j'ai à peine eu le temps de réfléchir, alors faire la conversation avec mon nez, vous comprenez... – mais, quand même, je me posais des questions. J'étais habitué à entendre sa voix aussi souvent que la mienne. Je m'étais accoutumé à le voir provoquer les gens, ou à les faire rire, ou à me mettre dans le pétrin en proférant des énormités que je n'aurais jamais osé dire. Mais c'est à peine si j'ai eu de ses nouvelles depuis mon départ de l'hôpital.

— *J'ai toujours été là. Si tu veux savoir, j'ai commencé à faire mes bagages.*

— Tu ne vas pas t'en aller ?

— *Ça m'est passé par la tête, oui.*

— Tu ne vas pas retourner sur Jupiter ?

Le cœur me descend dans les talons. Ça me rend étrangement triste d'imaginer ma vie sans Norbert. La chienne me bondit dessus encore une fois.

— Ouache ! dis-je, la face balayée par sa langue baveuse.

— *Je n'ai pas décidé où j'irais. Je pourrais rentrer à la maison, je suppose. Mais j'ai passé en revue les APPELS AU SECOURS. Il y a pas mal de gens qui ont besoin d'aide ici et là, tu sais. Plus que toi, en ce moment. Hé ! Angel ! À terre, fille ! Assise ! Et reste !*

Et savez-vous quoi ? La chienne s'assoit et se tient tranquille. Ça a sans doute quelque chose à voir avec la voix de Norbert. Les chiens réagissent aux sons haut perchés, n'est-ce pas ?

Prudence interrompt son bavardage pour me zieuter.

— Comment fais-tu pour qu'elle t'obéisse comme ça ?

Elle a posé la question d'un ton admiratif que je ne lui ai jamais entendu auparavant.

— Tu l'as, l'affaire, Couic-couic ! s'écrie une fille nommée Tiffany que je ne connais pas beaucoup.

Au milieu de la cour de récréation, j'aperçois Mary qui lutte contre le froid dans un blouson de cuir trop petit pour elle. Appuyée contre l'orme malade, elle nous observe. Et tout à coup, de là où je suis, pendant une fraction de seconde, je capte une pointe de – est-ce possible ? – une pointe d'envie dans ses yeux. Elle est toute seule et elle souhaite ardemment – une partie d'elle, en tout cas – une appartenance. Elle désire que les gens l'aiment.

La cloche sonne. C'est l'heure de se mettre en rangs.

— À la maison, Angel ! ordonne Prudence en tapotant le flanc de la chienne, qui ne bronche pas.

Je prends ma place dans la file. Un gars à qui je n'ai jamais parlé auparavant – un joueur de basket qui a de pâles mains roses et une face lisse comme la surface de la lune – me demande comment je vais. Sa pomme d'Adam tressaute comme un bouchon de liège quand il parle. Il est tellement maigre que, si on le poussait à mi-corps, il plierait en deux, comme une chaise de jardin.

— Ça va bien, lui dis-je.

— Tant mieux. Je m'appelle Quincy, dit-il.

Je le sais. Dans une petite ville, tout le monde se connaît. On n'a jamais été présentés l'un à l'autre, Quincy et moi, mais je sais tout de lui. Il a une sœur et deux frères, tous plus jeunes que lui, et ses parents sont divorcés, comme les miens.

— Salut, dis-je, et moi, c'est Alan.

— Je sais, dit-il.

Vous voyez, il me connaît, lui aussi.

Gary-la-brute me dépasse. Son nez n'a plus la même forme qu'avant. Et tout ça par ma faute. Je sens un petit pincement de remords et un gros frisson d'appréhension. Je me demande s'il est prêt à pardonner et à oublier. À passer l'éponge. À me serrer la main et à oublier le passé.

Gary joue des coudes et se place devant moi, le mot COUGUARS en grosses lettres au dos de son blouson. Quincy, le grand joueur de basket maigrichon, ne lui cède pas le passage assez vite à son goût. Gary le pousse dans l'estomac, pas si fort que ça, mais, comme de fait, Quincy se plie en deux.

Mon pincement de remords disparaît. Mon appréhension grandit.

— Holà ! dis-je.

Gary se retourne pour me fusiller du regard. Un regard étincelant de colère. Le nez cassé y est pour quelque chose. Il enfonce son pied sur le mien. Délibérément. Avec ses grosses bottines. La file se met à bouger. Le joueur de basket se redresse et avance en se traînant les pieds, penché comme de hautes herbes dans le vent. Gary me broie le pied, se rapprochant de moi, me regardant en pleine face. Probablement pas encore tout à fait prêt à pardonner et à oublier. Peut-être la semaine prochaine. Peut-être l'année prochaine. Peut-être après m'avoir tué une fois ou deux.

Ayoye !

Je peux à peine marcher quand il retire enfin son pied. Je me surprends à chercher Prudence des yeux, mais elle et Miranda sont là-bas, près de la clôture, à tenter de convaincre Angel de retourner à la maison.

— Avancez, vous autres, ordonne un prof.

Je boitille. La file me passe devant. Mary me rattrape et glousse méchamment en me voyant boiter. Il y a de la salive qui bouillonne d'un côté de sa bouche. Peut-être me suis-je trompé à son sujet. Peut-être n'a-t-elle pas envie d'être aimée. Si oui, elle ne s'y prend certainement pas de la meilleure façon.

— Qu'est-ce qui ne va pas, Couic-couic ? demande Miranda quand elle me rattrape. As-tu mal à la tête ?

— Non, pas à la tête, dis-je.

Mes camarades me font une ovation quand j'entre dans la classe. Je ne peux m'empêcher de me demander si les camarades de Prudence lui réservent un aussi bel accueil. L'héroïne, c'est elle, pas moi. Tout ce qui m'est arrivé, à moi, c'est que je suis tombé à l'eau et que j'ai perdu conscience. Elle, elle m'a tiré de là. On n'a pas grand mérite à être une victime. C'est à la portée de tout le monde.

Ça me fait tout de même plaisir de voir les copains applaudir, d'entendre leurs bons vœux, de les savoir contents de me retrouver.

Victor fait la longue marche solennelle entre le bureau de Mlle Scathely et mon pupitre, les bras chargés d'une incroyable montagne de… oui, c'est bien ça… de devoirs ! Si au moins il n'avait pas l'air si fier de son coup !

Et puis, c'est le retour aux choses sérieuses. La flore et la faune. Les conjugaisons françaises. La guerre de 1812. Je n'ai pas hâte aux prochains jours, avec tout ce rattrapage qui m'attend.

À l'heure du dîner, tout est déjà revenu à la normale. Comme si je n'avais jamais été absent. Assis à notre table habituelle, Victor, Dylan et moi procédons à des échanges de bouffe. Le croiriez-vous ? Dylan raffole des tartines de fromage sur tranches de pain Wonder. Je suis heureux d'échanger cela contre le lunch préparé par sa mère : rôti de bœuf sur pain de seigle noir, nappé de sauce barbecue. Quelques tables plus loin, Prudence jase avec une fille qui s'est longtemps fait taquiner parce qu'elle s'habillait comme un gars. Je sais que c'est stupide de rire des travers vestimentaires des gens, mais ce sont des choses qui arrivent. C'est stupide de rire des gens, tout court, j'imagine. Miranda arrive sur le tard, m'adresse un sourire et se dirige vers sa table habituelle.

Tout cela est très normal. Si je fermais les yeux, je pourrais imaginer qu'on est à la première semaine de la rentrée – avant l'hôpital, avant l'Assemblée générale, avant les *intra-muros.* Avant Norbert.

Je vais devoir découvrir ce qui lui arrive, à celui-là.

Grande nouvelle ! M. Duchesne, le prof de maths, est absent. Il souffre d'une grippe intestinale. La suppléante est une gentille vieille dame qui utilise un visage en carton en forme d'horloge pour expliquer les diverses bases, avec une méthode qui me permet de comprendre – aussi incroyable que cela puisse paraître. Elle pose une question en base sept, et je lance la réponse dans le temps de le dire, aussi rapide que Billy the Kid. Plus vite que Victor, qui se retourne carré pour me reluquer. Je contemple mes ongles, comme si les bases, moi, je passais mon temps à patauger là-dedans. Simple comme bonjour ! La base sept, y a rien là !

Vers la fin de la période, la dame écrit une question au tableau, et voilà que la réponse me saute à l'esprit, comme un éclair. Incroyable. Je me sens comme un vrai Galilée… du moins jusqu'à ce qu'elle résolve le problème et indique la réponse au tableau. Différente de la mienne. Hum. Elle y va d'une autre question, et le même phénomène se produit. Encore une question, et encore une erreur. Et puis une autre. C'est un coup de chance si j'ai pu donner la première réponse correctement. Même une horloge arrêtée donne l'heure juste une fois toutes les douze heures. Sapristi !

La cloche sonne. La dernière cloche de la journée. Dans la salle de classe quasi silencieuse éclate tout à coup un tintamarre affairé de livres refermés, de chaises repoussées et de bavardages animés.

Mon sac à dos pèse une tonne. Je descends l'escalier tout seul. Victor a disparu. Des gens me saluent, puis s'éclipsent en coup de vent. J'émerge dans la cour d'école, seul.

Les deux Couguars qui restent occupent la sortie sud. Mary et Gary. Tous deux plus gros et plus méchants que moi.

La population de l'école se dirige à la queue leu leu vers la sortie nord.

Je traverse la cour à contre-courant, seul à prendre la direction opposée. D'autres personnes me saluent et s'arrêtent pour me regarder aller. Je file vers la sortie sud.

Je cherche Miranda des yeux, mais l'autobus est déjà parti. Je me demande où est Prudence. Elle pourrait se trouver n'importe où, en train d'essayer d'empêcher son idiote de chienne de faire quelque bêtise.

Je suis tout seul et je traverse la cour d'école en direction des Couguars.

J'ai la sensation d'être un héros dans un film western. Je devrais troquer mon sac à dos et ma tuque contre un étui de pistolet et un chapeau de cow-boy.

Mary sourit. Pas gentiment. Pas comme si elle allait m'inviter à jouer avec elle.

— Hé ! Dingwall ! crie-t-elle. Viens donc par ici te faire…

Bon, je ne répéterai pas ses paroles. Précisons seulement que ce n'est pas très gentil. Rien que je n'aie déjà entendu, remarquez, mais vraiment pas gentil du tout.

Je continue d'avancer. Je ne sais pas pourquoi – mais c'est quelque chose que je dois faire. Malgré tout, je regrette d'être seul. Prudence serait une bonne alliée, mais elle brille par son absence.

Ce qui serait formidable, c'est que mon exemple encourage les autres élèves qui sont là, dans la cour de récréation, à faire la file derrière moi pour que nous foncions vers les brutes tous ensemble. Très inspirant comme image.

Mais rien de tel ne se produit.

Les jeunes qui sont pressés de rentrer chez eux poursuivent leur route. Les autres se tiennent à bonne distance et observent la scène. Je ne pense pas qu'ils veuillent me voir saigner, mais ils ne vont pas s'engager dans ma croisade. Tout en m'approchant de plus en plus près, je murmure :

— Si au moins je n'étais pas tout seul !

— *Tu ne l'es pas !* dit la voix familière.

— Je veux dire, je souhaiterais obtenir de l'aide véritable.

— *Tu as toute l'aide dont tu as besoin !* affirme Norbert.

Oh là là ! Il parle avec un sérieux ! En temps normal, il aurait lancé une réponse spirituelle.

Un après-midi typique du début de l'hiver. Un ciel gris, que perce de temps en temps un pâle soleil laiteux déjà à mi-chemin de son déclin vers l'ouest.

— Où penses-tu que tu t'en vas, Dingwall ? crie Gary.

— Chez moi, dis-je.

C'est franc, c'est direct. Je poursuis mon chemin vers la barrière.

— La sortie, c'est par là-bas, dit Mary, le doigt vers le nord.

Un élève au milieu de la cour d'école pense que c'est vers lui qu'elle pointe le doigt et il s'éloigne.

— C'est par ici que je veux sortir, dis-je calmement.

— Eh bien, tu ne peux pas !

Ils s'installent près de la barrière, prêts à en bloquer l'accès. Je regarde par-dessus mon épaule.

Mary part à rire.

— Personne ne va venir à ton secours, Dingwall. Pas même ta nouvelle amie

Prudence, qui est en retenue pour encore quarante bonnes minutes.

— Tu ferais mieux de prendre l'autre sortie, comme le reste de l'école, dit Gary.

— *Bye, bye, Alan,* me chuchote Norbert.

— Quoi, c'est maintenant que tu t'en vas ?

— *Le moment est venu.*

Je m'arrête. Mary et Gary avancent d'un pas vers moi.

— Sapristi, Norbert, je ne sais pas quoi dire. Bonne chance.

— *Merci. Bonne chance à toi aussi.*

L'air réjoui, Gary et Mary sourient de toutes leurs dents. Ils se délectent par anticipation du plaisir de me massacrer.

— Est-ce que j'aurai jamais d'autres nouvelles de toi ?

— *Bien sûr !*

— Comment est-ce que je vais savoir que tu es là ?

— *Il va falloir que tu écoutes. Si tu prêtes bien l'oreille, tu m'entendras. Je serai dans les parages.*

— Oh !

Je respire un bon coup. Gary et Mary sont presque rendus à ma hauteur. L'heure héroïque. Je me demande comment sera le contact avec le sol. J'imagine que je le découvrirai bien assez vite. Je poursuis mon chemin.

— *Rappelle-toi que tu n'es pas seul.*

C'est la dernière phrase qu'il me dit.

— C'était quoi, ça, Dingwall ? demande Mary. Essaies-tu de nous couicouiquer quelque chose ?

Gary s'arrête et paraît indécis pour un instant. La dernière fois qu'il a entendu Norbert, c'était dans les toilettes des gars, juste avant de se faire casser le nez.

La barrière est à dix pas de moi. J'ai peur, mais je n'ai pas l'intention de virer de bord et de retraverser la cour d'école. Je ne veux même pas partir à l'épouvante, esquiver Mary et Gary, et détaler jusqu'à la barrière. Non. Je veux sortir en marchant.

Je suis assez proche maintenant pour sentir l'haleine de Mary – et on est loin de la menthe fraîche, croyez-moi. Elle tend la main vers ma gorge. Je ne lance aucune remarque fanfaronne. Je ne dis rien.

Ce que je fais, c'est que j'éternue.

Il y a des éternuements secs et polis, de petits grognements, en fait, si discrets qu'on ne les remarque même pas. Ce genre d'éternuement se passe davantage à l'intérieur qu'à l'extérieur. Comme un pistolet qui rate son tir : tout ce qu'on entend, c'est un sifflement suivi d'un clic. D'autres éternuements, par contre, ne sont ni secs, ni polis, ni discrets. Et celui qui m'échappe devant Mary et Gary est de la seconde catégorie : tiède, mouillé et explosif, une balle tirée par une trompe d'éléphant. La force de la détente me rejette vers l'arrière.

Mary se couvre comme si elle avait été atteinte par un projectile, ce qui est bel et bien le cas. Elle crie et recule d'un pas sans le vouloir. Et moi, j'avance en tirant un autre coup. Et puis encore un autre. Sans arrêter d'avancer. La tête me fait mal. Mes oreilles bourdonnent. L'air est rempli de – eh bien, ce n'est pas de la fumée.

— Dis-moi donc, Gary, c'est quoi ça ? demande Mary, dont la voix semble venir de très très loin.

— Attention ! Il fonce sur nous, il nous attaque !

Ma vue est un peu embrouillée, vous savez comment c'est après un éternuement particulièrement puissant. Il y a un petit grain noir qui tourne autour de Mary et Gary, voltigeant de l'un à l'autre à la manière d'un taon.

Ils reculent – loin de moi et loin de la barrière. Le grain – qui se pare de reflets dorés lorsque le soleil, un bref instant, perce un trou dans le banc de nuages – le grain, donc, ne les lâche pas, faisant la navette entre eux, les repoussant loin de moi.

Je me demande… J'inspire en profondeur, par le nez. Je ne constate rien de changé, à l'intérieur, mais… je me pose des questions.

— Norbert ?

Pas de réponse.

— Norbert ? Tu es là ?

Silence. Je prête l'oreille, mais je n'entends rien d'autre que le silence.

— Eh bien, merci, dis-je.

Je rajuste alors mon sac sur mon dos, et je traverse la barrière sud, sans me presser.

Chapitre 20

Il va bien

Seulement quelques petites choses à ajouter. J'ai accepté l'emploi au supermarché, et je travaille maintenant pour M. Grunewald. C'est là que maman fait ses courses en revenant du bureau. Je finis habituellement mon quart de travail autour de cette heure-là, de sorte que nous rentrons ensemble en voiture. En fin de compte, je la vois plus souvent qu'avant, pas moins. Un autre avantage, c'est que je contribue dorénavant au marché. Nous n'avons pas mangé de riz ni de succotash depuis un bon moment.

Je suis censé retourner à l'hôpital de Toronto le mois prochain, pour une autre IMR. Je ne sens rien de différent dans mon nez, mais je doute que le test montre un mystérieux vaisseau spatial dans le secteur de mes fosses nasales qui sert de garage.

Maman me demande comment se porte mon ami imaginaire. Quand je lui avoue qu'il semble être parti, elle secoue la tête.

— Tout cela fait partie du processus de croissance, Alan, dit-elle.

— Je m'ennuie de lui, parfois. J'espère qu'il va bien.

— Je suis certaine qu'il va très bien, assure ma mère.

Elle pourrait bien avoir raison. Quelques jours plus tard, je me retrouve chez Miranda pour souper, une fois de plus – eh oui, j'y suis déjà venu à quelques reprises –, et nous sommes assis sur le canapé, après le repas, pour regarder une émission spéciale de musique country, diffusée en direct du Rose Bowl ou de quelque endroit du genre. Ça se passe en plein air et il fait chaud, là-bas, en tout cas. Sur la scène, k.d. lang chante l'histoire d'une fille qui a une grosse ossature. Elle sourit, mais quelque chose la dérange… À la télé, on dirait vraiment que c'est un moustique. On le voit sous les projecteurs, qui la suit partout sur la scène. Elle agite la tête vers l'arrière, vers l'avant, et elle balaie l'air de ses mains. On entend tout à coup un grincement discordant, semblable au crissement que produit parfois un micro quand il y a de la réverbération. Quoi qu'il en soit, voilà k.d. qui s'interrompt une seconde, le temps de reprendre le contrôle. Quand elle recommence à chanter, elle paraît distraite. C'est facile à voir, parce que la caméra montre son visage en gros plan. Son nez… je pourrais jurer que son nez est agité d'un tic.

À la fin de la chanson, alors que la foule se déchaîne, k.d. sort un mouchoir de sa poche. Et on enchaîne avec un commercial de détergent à lessive.

Québec, Canada
2003